KB171993

그림 명상

숨 한 번의 평화,
점 하나의 위로

원지희 지음

부크크

_원지희

_자연이 주는 경이로움 앞에 가슴이 뻥 뚫리며 온몸으로 숨을 쉬는 장면을 좋아한다. 취업이 잘될 거라는 기대로 의상학과를 다녔으나 수학강사를 10년 넘게 했다. 표정을 갖는 꽃에 반해 디자인 대학원에 가서 철근 용접으로 뼈대를 만들며 꽃을 주재료로 조형을 배우고 매 학기 꽃조형 전시회를 했다. 〈기하형태의 화훼작품 연구〉가 석사논문 제목이다.

어려서부터 외로움에 빠져 살던 마음이 명상을 만나 기지개를 폈다. 이후 20년 가까이 명상을 교육프로그램에 응용하는 노력을 했다. 마음이 쉬는 자리를 찾는 그림명상 수업이 세상을 위한 일이기를 바란다. 온전한 매 순간을 느끼며 사는 삶을 추구한다.

그림 명상

숨 한 번의 평화, 점 하나의 위로

원지희 지음

발행 2024년 4월 16일 발행

편집 김지숙 장율
펴낸이 한건희
펴낸곳 주식회사 부크크
주소 서울특별시 금천구 가산디지털1로 119 SK트윈타워 A동 305호
전화 1670 3316
이메일 info@bookk.co.kr
홈페이지 www.bookk.co.kr
ISBN 979-11-410-8136-2

고요하고 편안한 짧은 순간이

영원처럼 길어져 온전한 삶을 이루기를

_머리말

숨 한 번의 평화, 점 하나의 위로에 들어서며

초등학교 5학년 즈음, 그날도 교과서 읽고 필기하고 설명 듣기로 이어지는 수업 시간이었다.

창밖에서 내리쬐던 햇살을 따라 책상 위로 내려앉는 먼지를 보았다. 공중에서 춤을 추던 먼지는 차츰 책상으로, 교실 바닥으로 내려오더니 사라졌다.

시간이 멈춘 짧은 순간이다. 그 순간은 한 돌도 되기 전 헤어진 엄마에 대한 막연한 그리움도, 한 달에 한 끼를 같이 먹는 아빠에 대한 선망도, 늘 화낼 준비가 되어 있는 고모에 대한 불안감도 없었다.

그때 느낌을 오래도록 잊고 있었다. 삼십대 후반, 명상을 하기 전까지는. 하지만 나를 돌아보는 수련을 하며 과거를 찾아냈다. 스스로 알지 못할 뿐 누구나, 온전히 당당하고 고요하게 자신을 마주하는 순간은 있다. 바람이 불고 눈이 내리는 시기가 있어도 태양은 빛난다. 삶이 갖는 마음과 몸의 기복에도 살아야 한다. 좋은 사람이 있어 위로를 받을 수 있으면 행운이다. 때로는 스스로를 위로하는 힘으로 삶을 견뎌야 한다.

이 책은 내가 마음이 쉬는 자리를 찾은 방법을 필요한 모두가 쉽고 편안하게 만나기를 바라며 쓴 책이다. 숨 한 번 쉴 때 꽃잎이 날리듯 어깨에 쌓인 부담을 털자. 편안한 마음으로 평화로운 숨을 쉬고, 맑게 깨어있는 의식을 점 하나로부터 시작하는 그림명상에 집중하자. 점 하나 찍으며 겨울 저녁 따뜻한 우유 한 잔이 몸을 데우듯 위로를 전하자.

고요하고 편안한 짧은 순간이 영원처럼 길어져 온전한 삶을 이루기를 바란다. 나와 그대 함께.

|차례|

_프롤로그

숨 한 번과 점 하나가 만나다

어디까지 돌아보았던가? 현재로부터 시작해서 과거로 기억을 더듬어가며 떠오르는 사람과 감정, 생각을 영화 보듯 회고록 읽듯 돌아봅니다. 명상은 자기성찰을 바탕으로 합니다.

30대 후반, 밤낮으로 일주일 가까이 마음 돌아보기에 집중했습니다. 어느 날 아침 산책을 나섰을 때, 산골에 남은 안개가 사라지는 모습을 보면서 문득 온 세상 생명이 숨쉼으로 연결되어 있음을 느꼈습니다. 숨 한 번을 깊게, 몸 구석구석까지 안개가 스며들 만큼 천천히 쉬었습니다.

아침까지 돌아보던 마음이 남긴 아픔이 사라지며 편안했습니다. 반겨주지 않는 세상을 헤쳐 나가야 하는 외톨이로 살아온 마음 대신 수억 광년 전 별빛까지 나를 응원하고 있었다는 깨달음이 몸과 마음을 채웠습니다. 생명이 갖는 기쁨을 어쩌면 처음 느꼈습니다. 마음 깊이 새긴 숨 한 번입니다.

10대 초반, 늘 어제 받은 책처럼 깨끗한 교과서 구석이 문득 넓어 보였습니다. 조심스럽게 연필을 콕 찍고, 살짝 선을 긋다가 활자 가까이에서는 방향을 틀어 네모를 그렸습니다. 하나를 그리고 나니 허전하여 하나를 더 그렸습니다. 다음 수업 시간에는 떨어진 네모 두 개를 연결해서 그리고, 언제부턴가 네모 안에 점과 선을 다양하게 채웠습니다. 네모를 길게, 넓게 바꾸며 점점 새로운 구성을 했습니다.

수업 시간 즐거움을 주던 낙서는 연필로 찍은 점이 시작이었습니다. 집에 걸려 있던 달력이 김환기 화백 추상화여서였을까? 낙서는 늘 사각형과 점, 선, 면 구성이었습니다.

의상학과에서 편물 디자인을 배울 때 디자인 아이디어를 일기 쓰듯 기록하는 과제가 있었습니다. 아이디어 스케치를 모으는 파일 속 방안지에 격자무늬 한 칸, 한 칸을 색칠하거나 작은 원이나 점으로 자연스럽게 형태를 만드는 작업을 즐겁게 반복 했습니다.

서른이 지나 꽃꽂이를 접했습니다. 꽃 하나마다 표정이 있는 모습을 보고 꽃이 주는 기쁨이 좋아서 꽃조형을 전공하는 대학원을 갔습니다. 매 학기 전시회를 기하 형태 작품으로 만들었습니다. 기하 추상은 순수한 형태를 추구하며 말로 하기 장황하고 글로 쓰면 어려운 내용을 단박에 담는 표현방식입니다.

숨 한 번과 점 하나가 만나서 이루어진 그림명상에는 벽에 붙인 점을 바라보며 마음 돌아보기를 하는 수련법과, 교과서 구석에 네모를 연결하며 공간을 구성하던 습관, 대학교 과제로 채웠던 아이디어 노트, 꽃조형을 하며 만든 기하 형태 작품이 남긴 체험이 모두 담겨 있습니다.

명상을 접하고 깊은 고요함에 닿은 이후, 마음을 차지하고 있는 자의식이 만든 이야기가 멈춘 순간 찾아오는 무한한 평화를 유지하기 위한 노력을 계속했습니다. 한 걸음을 뗄 때마다 발바닥이 땅에 닿는 느낌을 자각하고 가슴으로 대상을 바라보는 연습도 했습니다.

꿈에서 깨는 아침에는 눈을 뜨기 전에 꿈에 등장한 모든 이가 나라고 전제하고 꿈에서 본 모습을 살펴보며 나의 무의식이 집착하는 대상이 무엇인가를 꼼꼼하게 돌아봅니다. 일상생활을 하며 상대에게 요구한 말을 나에게 다시 합니다. 결국 내가 들었어야 하는 말일 때가 많습니다. 상대가 한 이야기 중에 듣자마자 동의할 수 없는 내용은 무의식이 나에게 꼭 필요한 이야기를 한 거라 여기고 관점을 다르게 다시 생각해봅니다. 혼자 단순한 일을 반복할 때는 마음에 남은 잔상, 잔여 감정들이 어디서 시작됐는가를 헤아립니다. 짬짬이 고요한 호흡을 의식하려고 노력하고, 호흡을 하며 하나의 숨결을 처음 느꼈을 때처럼 매 순간 온전한 우주를 인식하며 시야를 확장하고자 합니다. 때때로 새로운 상황에서 마음이 오갈 데를 모르고 헤매거나 휘청거리며 발 디딜 자리를 찾기에 힘이 들어가지만, 제자리로 돌아갑니다.

지금은 오후 산책을 하며 기울어가는 햇볕에 감사합니다. 한 걸음, 한 걸음을 걷고 있음에 감사하고 옆에 있는 사람에게 감사합니다. 삶을 숙제로 여기고 살았던 시간에서 주어진 순간을 선물로 여기는 마음이 되었습니다. 나를 바라보는 담담한 시선을 유지하는 힘은 철저한 자기성찰 결과입니다.

숨 한 번을 편히 쉬기 위해서는 마음에 담고 있는 기억이나 바램을 잠시 놓아야 합니다. 마음을 알기 위해 타고난 성향에 대한 공부가 필요합니다. 에너지 충전 방식, 인식하는 순간, 의사결정을 해야 할 때, 그리고 행동 양식이 편하게 여기는 선호도로 성향을 설명하는 MBTI를 그림 명상과정에서 활용합니다.

인류가 낙서를 시작하면서 누군가는 그림명상을 했을 겁니다. 다양한 방식으로 행하는 그림명상 중에 숨 한 번, 점 하나는 만다라와 젠탱글을 닮았습니다. 도형과 색을 사용하여 반복되는 문양을 만드는 방식으로 집중력, 창의성을 높이고 마음 건강에 도움이 됩니다.

흔들리는 나를 위로하고

허덕이는 그대를 위로하는

평화로운 숨 한 번을 위해 시작합니다.

숨 한 번의 평화, 점 하나의 위로

1 숨 한 번, 점 하나 그림명상

숨 한 번, 점 하나로 시작하는 그림명상

숨 한 번, 점 하나 그림명상이란 몸과 마음이 맑은 상태를 유지하며 낙서처럼 마음 가는 대로, 손 가는 대로 그림을 그리는 작업입니다. 스스로 마음이 쉬는 자리를 찾아가는 과정입니다.

숨 한 번 쉬며 이완하고 점 하나 찍으며 집중하기를 반복하는 동안 머리가 맑아지면서 고민에 대한 해결책을 찾고, 마음이 쉬는 시간이 길어지며 다시 시작할 힘을 키웁니다.

마음이 쉬는 자리를 만들기 위한 그림명상은 공감 능력 키우기로 시작합니다. 자신과 남을 비교, 판단하지 않고 있는 모습 그대로를 인정하며, 대상에게 집중하는 동안 잠시 점수 매기기를 멈추고 자신의 내면과 상대의 진심을 느끼는 연습입니다.

공감 능력 확장 다음 단계는 소통입니다. 자신을 알고 무엇을 잘하는지, 진정으로 하고 싶은 일은 무엇인지, 어떤 상황에서 기쁜지를 아는 것은 자신과의 소통입니다.

또한 누군가를 배려하고 싶을 때, 상대가 무엇을 좋아하고 싫어하는지 알아야 내가 하고 싶은 배려가 아닌 상대를 위한 배려를 할 수 있습니다. 상대와의 소통입니다.

소통을 위해 다양한 성향을 체험하는 MBTI 유형 이해는 자신을 더 잘 알고 상대가 보여주지 못한 진심을 이해하도록 도

와줍니다.

숨 한 번, 점 하나 그림 명상은 스스로 만든 마음이 쉬는 자리에서 주눅 들지 않고, 외롭지 않고, 걱정하지 않는 고요하고 편안한 현재를 살기 위한 수업입니다.

그림명상은 손 가는 대로 자유롭게, 낙서하듯 가볍고 편안한 마음으로 합니다.

그림명상이 필요할 때

삶에서는 집중과 선택을 요구하는 순간이 다양한 조건과 상황과 함께 찾아옵니다. 이미 결정한 직업이 진짜 내가 잘하고 좋아하는 일인지, 세상과 어떤 관련이 있는지, 언제까지 할 수 있을지부터, 오늘 저녁은 누구와 무엇을 먹어야 맛있게 먹고, 즐거운 한때를 보낼 수 있을지까지 매순간 지혜롭게 선택하고자 우리는 갈등합니다.

효율을 추구하는 조직사회에서 업무와 관련된 선택은 성과와 연결되고 능력을 평가받게 되기에 더욱 신경이 날카로워지며 신중하게 됩니다. 신중할수록 생각은 많아지고 비교, 판단, 분석하는 양은 늘어납니다. 최선을 선택하든 차선을 선택하든 결과가 나오기까지 불안합니다. 마음이 평화를 찾아야 할 때입니다.

또 억울하고 답답한 시간은 예고 없이 찾아옵니다. 나 아닌 다른 사람과 함께 살아가는 사회생활은 관계를 맺고 유지하기가 어렵습니다. 좋아하는 선물을 챙겨주고 필요하다고 말하기 전에 미리 준비해주던 친구가 어느 날 변명할 기회조차 주지 않고 멀어지기도 하고, 온 힘을 다해 성실하게 프로젝트를 수행했는데 열심히 한 부분은 아무도 알아주지 않고 작은 실수만 문제 삼기도 합니다. 모르는 사람을 붙잡고 자초지종을 다 얘기할 의욕조차 없을 때는 스스로를 위로해야 합니다.

삶이 지루한 경우도 있습니다. 어제가 오늘 같고 내일도 오늘과 다르지 않는 삶이 있습니다. 특별히 맛있는 것도 없고 재밌는 일도 없으면 행복감도 멀어집니다. 수십 년을 한결같이 날마다 일하며 알뜰하게 살아서 노후 걱정은 없다 싶지만 언제까지 이어질지 모르는 불안감이 행복을 밀쳐 냅니다. 작은 일에 웃고 울던 때가 그리워집니다.

하루하루가 각박한 삶도 있습니다. 남보다 못난 것도 없는데 하루 세끼 먹고 살기가 빠듯합니다. 더 가난해질 수는 있어도 부유해질 가능성은 없다고 생각됩니다. 행복은 다른 세상 이야기 같습니다. 돈은 없어도 마음은 부자이고 싶습니다. 마음 저 바닥에 묻어 둔 감수성을 찾을 때입니다.

그림명상은 많은 생각과 갈등에서 벗어나 평화롭고 싶을 때, 서러움이 가득 차서 위로가 필요할 때, 무기력하고 답답해서 감수성을 찾아야 할 때 손을 내밉니다. 평화와 위로와 감수성을 찾는 길로 그림명상이 안내합니다.

2 준비하기

숨쉬기

완전한 호흡을 위해 평생 수련하는 사람도 호흡은 의식할수록 어렵습니다. 마음공부를 하는 목적이 숨 한번 편하게 쉬어 보기인 경우도 있습니다.

먼저 몸에 힘을 주거나 억지로 숨을 참지 않고 자연스럽게 들숨이 코로 들어와 몸 구석구석에 닿는다고 생각합니다. 날숨을 쉬며 가슴과 복부, 등, 엉덩이를 채웠던 공기가 서서히 빠져나가는 과정을 근육이 부풀고 줄어드는 감각으로 느낍니다. 감각으로 느끼는 정도에 따라 호흡이 얼마나 깊은지를 알 수 있습니다.

그림 명상에서 숨쉬기는 복식호흡을 기본으로 편안하게 합니다. 호흡 자체가 목적이 아니라 마음이 쉬는 자리에서 고요함을 느끼기 위한 숨쉬기입니다. 들숨과 날숨을 통해 우리 자신과 시간과 공간을 아우르는 우주가 생생하게 연결되어 있다는 기쁨을 인식하며 자연스럽게 숨을 쉽니다.

숨쉬기는 그림명상을 준비하는 단계에서 합니다.

-허리를 펴고 척추를 곧게 세우고 앉습니다.

척추를 곧게 세우려면 어깨를 귀까지 올렸다가 좌우 견갑골을 위에서 아래쪽으로 찬찬히 붙입니다. 등과 가슴, 골반까지 길게

펴지는 느낌입니다.

-목, 어깨, 팔, 골반, 다리를 편안하게 둡니다.

-눈은 가볍게 감습니다.

-자연스럽게 복식호흡을 합니다.

코로 공기를 마셔서 발바닥에서부터 들어온 공기를 쌓는다고 상상합니다. 복부, 골반 혹은 등이나 가슴까지 움직이는 근육을 느낄 수 있습니다. 코나 입으로 천천히 숨을 내쉽니다. 몸에 쌓인 긴장이 사라지는 상상을 합니다. 3번 이상 반복합니다.

음악 준비하기

그림 명상에서 음악은 공간을 만드는 역할을 합니다.

아름다운 음악은 우리에게 촉촉하게 스며듭니다. 가을 안개처럼. 공간을 채운 음악이 피부에 닿고 마음을 덮습니다. 편안한 잠자리에 있는 포근한 이불처럼, 혹은 세탁 후 처음 덮는 쾌적한 홑이불처럼.

숨 한 번, 점 하나에서 사용하는 음악은 3~4분쯤 되는 연주곡이 좋습니다, 가사가 있는 가요는 가사와 다른 이미지를 떠올리기 어렵기 때문입니다. 유명한 OST나 클래식 역시 피합니다. 뉴에이지 계열 창작곡이 그림 명상을 시작할 때 가장 좋습니다.

종소리도 그림명상을 준비할 때 사용합니다. 종소리는 공간을 고요하게 정리하며 마음을 집중하는 데 도움이 됩니다. 종소리에 집중하다가 소리가 끝나는 지점에서 마음이 고요해집니다. 그때 그림 명상을 하면 집중이 수월합니다.

심상을 그려보기

심상 그려보기는 시각화입니다. 어른이 되면 대부분 상상하기를 그만둡니다. 어려서는 잠자리에 누워서 상상으로 온 세상을 신나게 돌아다니고 온갖 발명품을 만들어내며 기뻐하던 사람조차도 말입니다.

상상하기는 보이는 거 너머에 있는 세계입니다. 마음에 떠오르는 느낌입니다. 마음에 어렴풋이 스치는 느낌을 그림으로 표현하는 것이 심상 그려보기입니다.

잠들기 전에 눈을 감고 좋아하는 풍경을 가능하면 자세하게 떠올리는 연습은 심상을 그려보기에 도움이 됩니다.

-눈을 감고 좋아하는 풍경을 떠올립니다.
-풍경에서 느껴지는 바람, 햇빛, 향기 등을 상상합니다.

유행가를 들을 때나 음악회에서 연주를 들을 때 음악과 어울리는 장면을 그려보면 공감각도 키워집니다.

미술관에서 작품을 감상할 때도 심상 그려보기를 할 수 있습니다. 설명이나 그림 제목을 읽기 전에 그림에 새로운 이름을 붙인다는 느낌으로 상상해볼 수 있습니다.

이면지와 연필 하나로도 그림명상은 할 수 있지만, 가능하다면 다양한 색상, 굵기의 그림 도구를 준비합니다. 새로운 도구를 사용하면서 마음은 더 즐거워집니다.

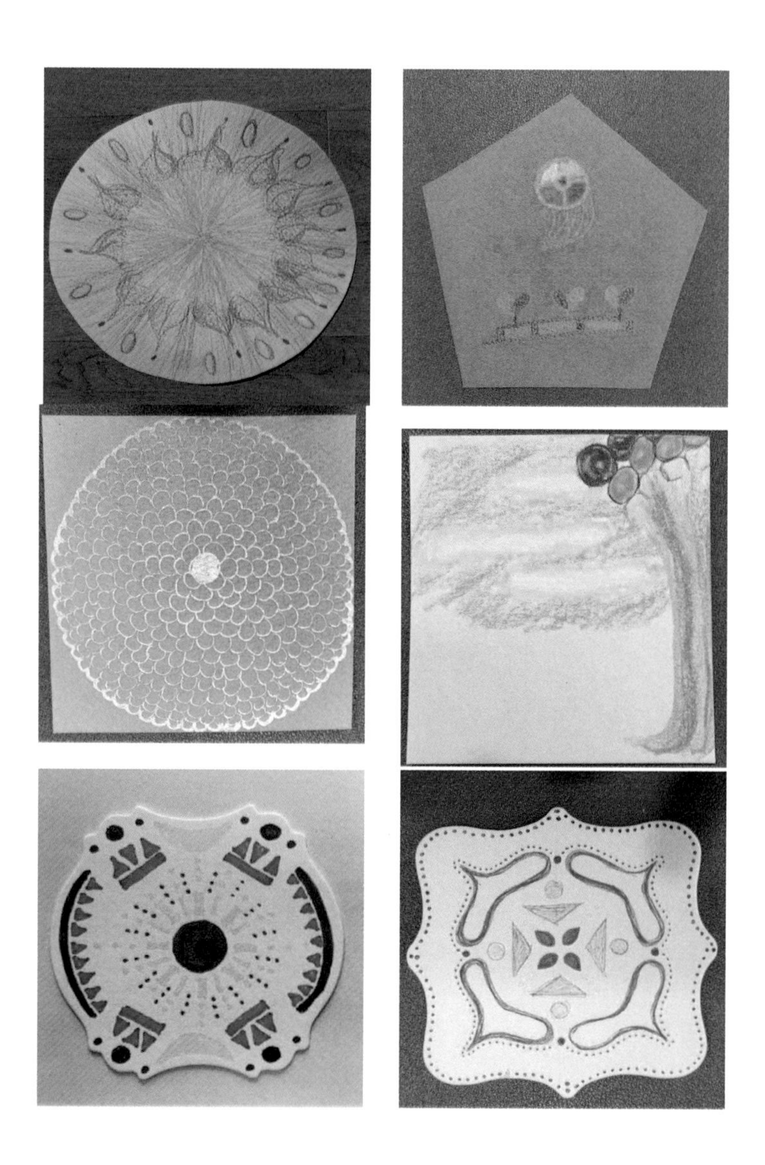

별
5개의 각을 가지고 있는
별,,
금색 꽃처럼 멋진 별
해가 달아 나고, 달이 놀러오면
별은 하늘나라, 자신의 집으로
초대한다
앞마당에 있는 고개를든 식
물도.. 놀고있던 나방도..
노래를 잘부르는 달이 음악을
해주자,
얼음처럼 듣고만있다..

과거에 매이지 않고

미래에 쫓기지 않는

고요한 평화는

오직

지금, 이곳에 있습니다

3 표현 연습

공감 능력 확장하기

사회생활을 하는 우리는 누군가와 공감하는 순간 일체감과 감동을 느끼며 행복해 합니다. 공감하는 폭이 넓을수록 풍부한 감수성을 경험하고 나와 다른 사람이나 새로운 문화를 쉽게 이해하고 받아들일 수 있습니다. 평화로운 마음을 유지하는 비결 중 하나가 큰 공감 능력입니다.

경험이나 고정관념에서 벗어나 내 앞에 있는 사람, 작품, 자연을 새롭게 보고, 듣고 느끼는 연습이 공감 능력 확장하기입니다.

지금까지 한 적 없는 상상이나 생각을 하고, 느껴 본 적 없는 감성을 체험하는 과정입니다. 공감하고자 하는 대상에게 오감을 집중하고, 작가나 배우가 창작하며 품었을 마음을 상상하는 연습은 자연스럽게 내 안에 묻어 둔 감수성을 만날 수 있게 합니다.

공감은 나 자신과도 해야 합니다. 내 안의 나, 내면에 가려진 나를 느낄 수 있을 때 내 안에 단단히 마음 쉼터를 마련할 수 있습니다.

제목 상상해보기도 공감 능력을 키우는 데 좋은 방법입니다. 사진을 찍는 사람의 마음은 자신이 느낀 감동을 남기고 싶어서입니다. 작품을 보며 작가는 어떤 마음을 작품에 담고 싶었을까 상상합니다. 어느 계절일까, 날씨는 어떤가, 바람이 부나, 하루 중 언제쯤일까, 작가는 슬펐을까 기뻤을까. 이런저런 궁금증을 갖고 작품에 집중합니다.

다음 여러 장의 사진과 이미지로 제목을 상상하는 연습을 해 볼 수 있습니다.

〈작품 1〉부터 눈과 마음에 담아봅니다. 작품마다 우선 자신이 생각하는 제목을 붙여줍니다. 그런 뒤 실제 작품 설명과 제목을 보면서 다시 한 번 작품을 감상해봅니다.

작품 1

작품 2

작품 3

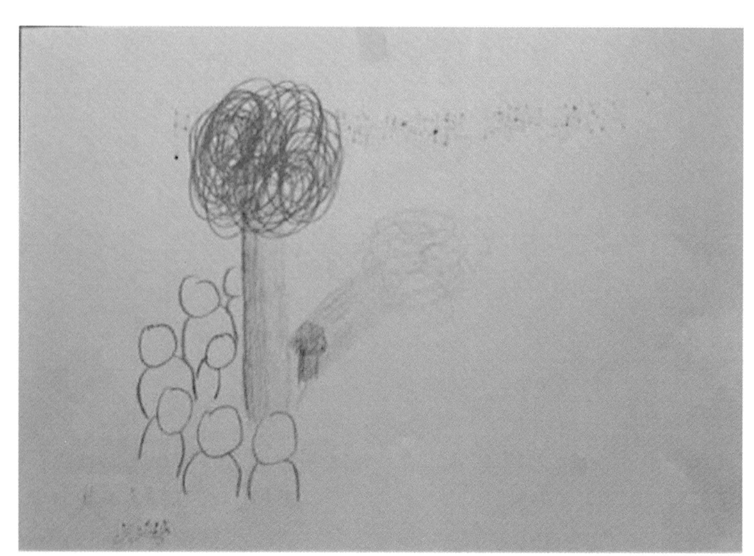

작품 4

작품 5

〈작품 1〉 희망을 품고

새해 아침 해가 하늘을 붉게 물들인 사진입니다. 큰 바다를 향해 출발하려는 배가 아직은 평화롭게 바다에 떠 있습니다. 살짝 드리운 구름은 출항을 막지 못하고 파도를 일으키는 바람은 배가 더욱 힘차게 앞으로 나가도록 밀어줄 기세입니다.

〈작품 2〉 발끝에 머무는 마음

멀리 만년설이 덮인 산 아래로 황량한 산이 눈앞에 보입니다. 설경을 즐기거나 발 아래 풍광을 즐길 여지라곤 없어 보이는 황량함입니다. 산비탈 좁은 길에서 자칫 헛발을 딛다가는 천 미터 아래 깊은 골짜기로 굴러떨어질 듯합니다. 발끝에 온 신경을 집중해 가까스로 한 발 한 발 내디뎌야 할 듯합니다.

〈작품 3〉 가야 할 길, 가고 있는 길

가을로 보입니다. 길 가장자리와 가로수 아래로 낙엽이 있습니다. 작가에게 가고 있는 길이란 어떤 길일까요? 작가는 가야 할 길을 묵묵히 혹은 기쁘게, 담담하게, 그도 아니면 불안하게 가고 있을 겁니다.

〈작품 4〉 가짜 나무 그림자에 가려진 진짜 나무

음악을 듣고 느낌을 그리는 첫 수업에서 표현한 작품입니다.

구체적이고 특별한 감성이 3~4분 사이에 문득 느껴졌다고 합니다. 비슷한 경험이나 기억과 관계없이 내면에서 느껴지는 감수성을 포착한 경우입니다.
신비한 보라색과 가짜 나뭇잎의 파란색이 긴장감을 만듭니다. 가짜 나무에 가려져 사람들이 보지 못하는 작은 진짜 나무는 그림자 안에서도 녹색이 선명합니다.

〈작품 5〉 바람개비를 돌리며 달리던 어린 시절
 이 그림을 맛으로 표현하면 씁쓰레한 맛, 짭조름한 맛, 달콤한 맛 중 어디에 가까울까요? 불행한 느낌과 행복한 느낌 가운데서는 어느 쪽일까요? 분홍 솜사탕이 떠오르는 작품입니다.

 작품 제목과 추측한 제목이 비슷해도 좋고 전혀 다른 느낌으로 제목을 지었어도 좋습니다. 책은 읽는 독자에 따라 의미가 달라질 수 있습니다. 사진이나 그림 역시 보는 사람이 느끼는 감수성에 따라 감동이 다릅니다.
 작가가 작품을 만들면서 느꼈던 감수성을 상상하고 제목을 붙이는 공감 능력 확장 연습은 음악을 들을 때도 활용할 수 있습니다.

감수성을 표현하는 곡선과 직선 연습

감수성을 표현하는 곡선과 직선 연습은 평소 낙서를 하지 않는 사람과 도화지, 색연필이 어색한 사람에게 여러 번 연습하기를 권합니다. 3~4분 연주곡을 들으며 진행할 수 있고 연주곡 없이 숨 쉬기, 종소리 듣기로 고요한 마음을 만든 후 진행할 수 있습니다.

우선, 단순한 곡선 반복으로 감수성을 표현하는 연습입니다.

1. 도화지 혹은 연습장에 음악을 들으며 다양한 곡선을 그립니다. 연주곡이 주는 느낌을 곡선과 색상으로 표현합니다.
2. 연주곡을 들을 때 특별한 감성이 느껴지지 않는다면 손에 잡히는 색연필을 먼저 고르고 일단 곡선을 그립니다.
3. 연주곡과 어울리는 색을 찾고 지휘하듯 낙서하듯 자유롭게 곡선을 그립니다.
4. 색상, 진한 정도를 다양하게 선택합니다. 색연필, 마카, 크레파스 등을 활용합니다.
5. 10분 이내로 그리기를 마칩니다.
6. 작품 제목을 정하고 함께 한 참여자와 느낌을 나눕니다.

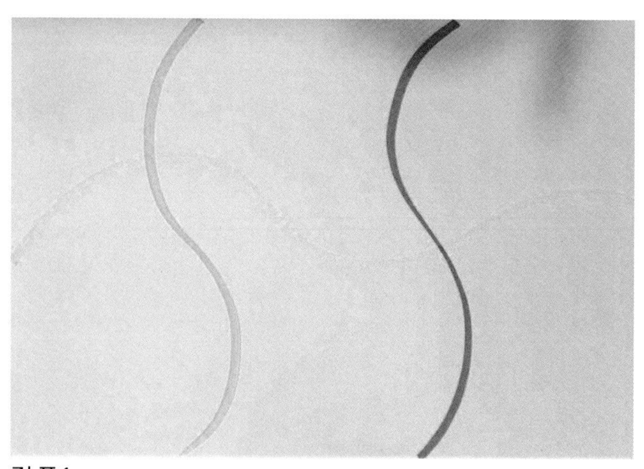

작품1

작품 2

〈작품 1〉은 곡선 3개가 봄을 표현하고 있습니다.

〈작품 2〉는 곡선 3개로 나누어진 면을 다시 굵기와 색깔이 다른 곡선으로 채우며 봄을 다채롭게 구성함으로 리듬감이 느껴집니다.

〈작품 3〉은 강렬합니다. 곡선을 면으로 표현하여 무게감과 색상

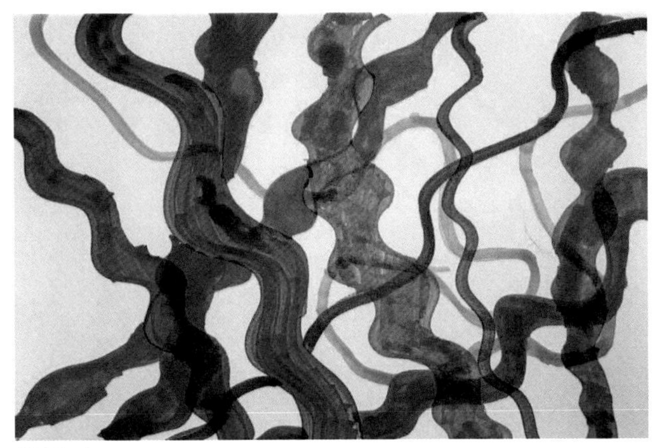
작품 3

작품 4

대비가 시선을 끕니다.

〈작품 4〉는 싱그러움이 느껴지는 곡선 연습입니다. 곡선을 그리며 키우기 시작한 다육이를 떠올렸다는 작품입니다.

〈작품 5〉는 곡선으로 표현한 하늘과 정원입니다. 봄꽃이 화사한

작품5

정원과 풀냄새 산뜻한 바람이 부는 장면이 떠오릅니다.

다음은 감수성을 직선으로 표현하는 연습입니다.
곡선 연습을 안내한 1~5를 직선으로 바꾸어 진행합니다.

-낙서처럼 편안하게 시작합니다.
-곧은 직선을 그리지 않아도 됩니다. 직선자를 사용하지 않습니다.
-도화지 가장자리에서 시작하여 원하는 지점까지 한 번에 직선을 긋습니다.
-직선 구성으로 감수성을 표현합니다.

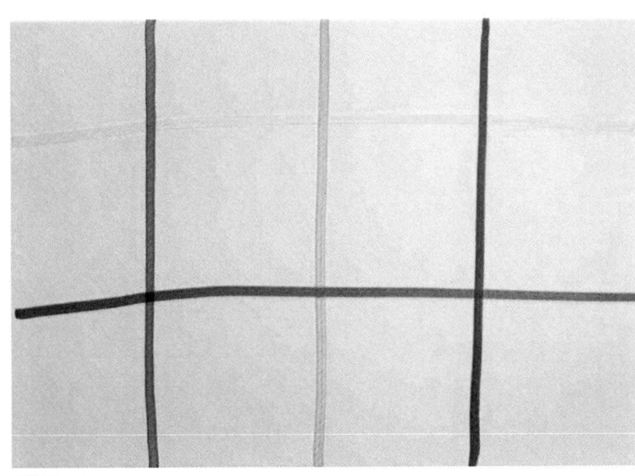

작품 6

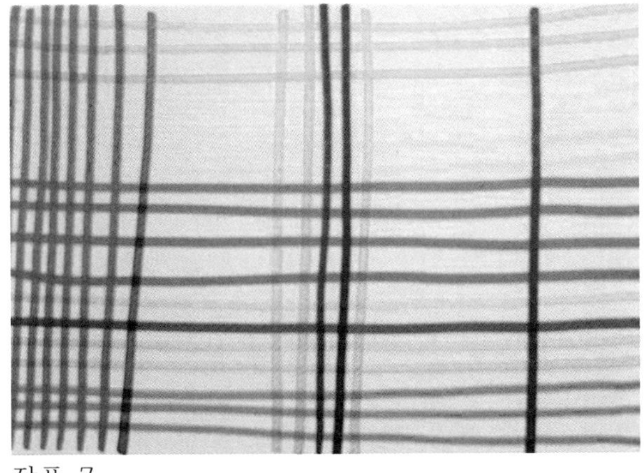

작품 7

〈작품 6〉은 가을 들판을 표현한 작품입니다. 논과 수확을 향한 기대가 엿보입니다.

여기에 분홍, 연두 직선이 들어온 〈작품 7〉은 봄이 느껴지는 작품입니다.

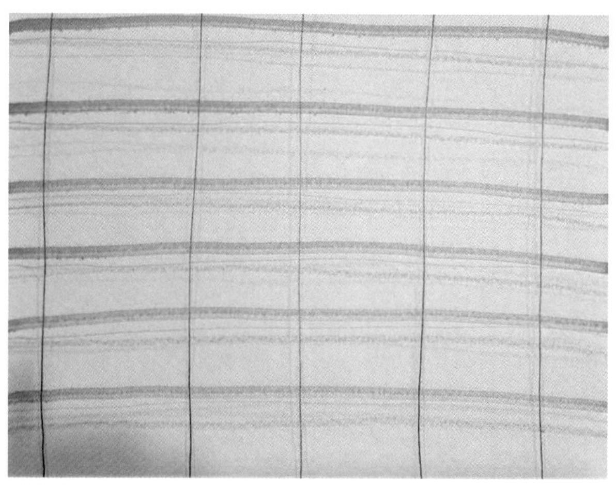

작품8

〈작품 8〉은 정원과 하늘을 직선으로 표현한 작품입니다. 굵기가 다른 선이 가로, 세로 교차하며 새싹이 돋아나는 정원과 넓게 펼쳐진 하늘을 의미하고 있습니다.

감수성을 표현하는 도형 연습

이번 장은 삼각형, 사각형, 원, 직선, 곡선 등을 다채롭게 구성하며 감수성을 표현하는 작업입니다. 나무를 도형과 선을 이용하여 단순화하며 여러 작품을 통해 다양한 느낌을 표현한 몬드리안의 작업은 널리 알려졌습니다.

도형을 사용하여 계절을 그림으로 나타내볼 수 있습니다.

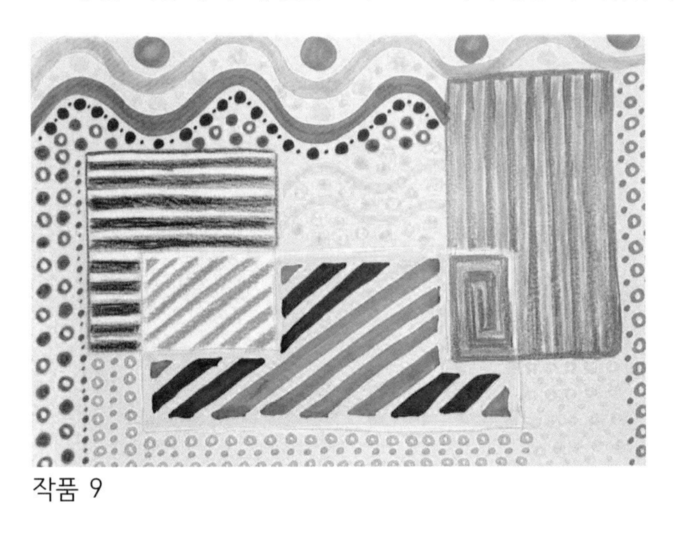

작품 9

〈작품 9〉는 초여름 수영장과 달콤하고 시원한 음료를 상상하게 하는 작품입니다. 꽉 채운 화면이 생동감 있게 느껴집니다.

작품 10

작품 11

〈작품 10〉은 원, 삼각형, 사각형이 도화지를 꽉 채운 구성입니다.

〈작품 11〉은 한여름, 바다 혹은 계곡에서 휴가를 즐기는 모습을 상상하게 합니다. 아른거리는 아지랑이와 새싹, 얇은 꽃잎을 도형으로 표현했습니다.

작품 12

〈작품 12〉는 삼각형을 자유롭게 연결하고 배치한 작품입니다. 암석이나 산이 떠오릅니다. 계절을 연결한다면 늦가을, 초겨울로 보입니다.

스스로

내 안에서 찾는 마음이 쉬는 자리는

나를 둘러싼 상황이 변해도

나와 함께 합니다.

4 다양한 기질과 성향 살펴보기

다양한 성향과 그림명상

칭찬하고 싶을 때, “나랑 떡볶이 먹을래?” 하는 사람이 있는가 하면, “너는 잘했는데 팀장이 몰라주네”라고 말하는 사람이 있습니다. 어떤 칭찬이 더 기분 좋을까요? 듣는 사람 성향에 따라 다릅니다.

가을비 내리는 날과 첫눈 오는 날 중 언제를 더 좋아하나요? 가을비에 젖은 낙엽을 밟고 미끄러진 기억이 있는 사람과 첫눈 오는 날 연인과 만났던 추억이 있는 사람의 선택은 다를 겁니다.

사과와 배 가운데 어느 과일을 많이 먹나요? 많이 먹는 과일과 좋아하는 과일이 같습니까? 아침 사과가 몸에 좋다는 정보에 따라 사과를 매일 먹지만 배를 더 좋아하는 사람도 있을 겁니다.

이제 갓 열 살을 넘긴 딸이 냉장고 안을 들여다 보며, “엄마! 정리 좀 해”라는 잔소리에 스트레스를 받았다는 친구가 있습니다. 살림하면서 정리, 정돈이 가장 어렵다는 친구입니다. 딸은 한 번 제대로 정리하면 편하게 사용할 수 있는 냉장고를 그대로 두는 엄마가 답답하다고 이야기합니다.

책상 정리를 먼저 하고 시험공부나 업무를 시작하는 사람이 있고, 작업대 위에 항상 서류와 공구를 잔뜩 펼쳐 놓는 사람도 있습니다. 하루 일이 끝나면 정리를 하는 사람과 일이 완전히 끝나야 정리할 마음이 생기는 사람이 공동 작업을 하는 경우 스트레스 강도는 커집니다.

평화와 위로를 찾아가는 길에서 자신과 타인에 대한 이해는 꼭 필요합니다. 자신이 모르고 있는 내면을 돌아보고 자신과 타인에게 있는 타고난 장점을 찾는 도구로 MBTI를 많이 사용합니다. MBTI는 타고난 식성처럼 성향이 갖는 특성을 선호도를 기준으로 분류한 내용입니다.

MBTI는 네 가지 기준에서 서로 상반되는 특성이 한 쌍씩 있다고 설명합니다. 우선, 에너지를 충전하는 방향에 따라 외향형(E)과 내향형(I)이 있고, 다음으로 사물과 사건을 인식할 때 선호하는 방식을 기준으로 감각형(S)과 직관형(N)이 있습니다.

세 번째 기준은 문제를 해결하거나 환경을 선택할 때 나타나는 사고형(T)과 감정형(F)이 있으며, 마지막 기준은 선호하는 생활양식에 따른 판단형(J)과 인식형(P)입니다.

MBTI에서 설명하는 네 가지 기준에 따른 유형별 특성을 통해 타고난 생각과 감정의 차이를 발견할 수 있습니다. 다양한 유형의 장점을 경험하고 공감하면서 자신이 갖고 있는 논리와 감성의 폭을 넓힐 수 있습니다. 마음은 부드러움과 강함을 오가며 자신에게 맞는 균형을 찾게 됩니다.

부드럽게, 강하게, 자세하게, 드넓게 표현하다 보면 점점 마음이, 감수성이 풍요로워집니다.

타고난 기질이 나하고 다른 사람이 같은 주제에 대해 나하고 다르게 이해하고 느끼는 모습을 접하면서, 내가 갖지 않은 논리와 낯선 감성을 받아들이는 연습을 하게 되면 공감 능력의 원천이 되는 마음 창고가 풍요로워집니다.

코바늘뜨기를 배운 사람은 압니다. 대바늘뜨기를 할 때와는 달리 손가락 힘을 절묘하게 주었다가 빼는 소근육이 발달해야 코바늘로 사슬을 만들어 갈 수 있음을.

10대부터 피아노를 배우고 연주하며 피아노 레슨을 직업으로 갖고 있을 때는 무거운 물건을 들기가 힘에 부쳤는데, 농촌에 정착하고 땅을 일구며 살다가 피아노를 치려니 손가락에 통증이 느껴지며 힘이 들어가지 않았다고 합니다. 젊어서는 못 들던 쌀 푸대는 이제 거뜬히 들 수 있는데.

마음도 근육처럼 한편으로만 계속 쓰다 보면 같은 방향만 발달합니다. 익숙한 감정 표현은 잘하나 상반되는 감정이나 느낌은 어색합니다. 시간, 장소에 맞춰 마음을 사용하는 연습이 필요합니다.

내향형(I)과 외향형(E)

어떤 문제가 생겼을 때 말이 많아지며 일단 전화를 걸고 이야기를 하며 해결책을 찾는 경우가 외향형(E)입니다. 밖으로 나가서 활동을 할수록, 많은 사람에게 이야기를 할수록 에너지가 쌓이는 유형입니다. 외향형은 혼자 있어서, 활동을 못해서 우울한 반면 중년 이후에는 내면이 텅 비어 있는 공허감으로 어쩔 줄 모르기도 합니다.

반면, 내향형(I)은 문제가 생기면 말이 없어집니다. 말보다는 생각을 먼저 하며 생각이 정리된 후 행동하고 싶어 합니다. 많은 사람이 모인 모임에서 조용히 있었는데 집에 와서 힘들어 합니다. 시시콜콜 일어난 일을 모두 이야기하는 친구와 대화하다 보면 말은 네가 하는데 힘은 내가 빠진다고 한탄합니다. 내향형은 혼자 있는 시간과 공간이 꼭 필요하며 외부 활동을 무리하지 않게 조절해야 합니다.

신중하고 차분한 내향형을 무관심하고 열정이 없다고 오해하지 맙시다. 내향형은 정교하고 섬세하며 일관성 있게 생각하고 느끼고 싶어 합니다. 집중과 신중함을 필요로 하는 역할을 수행할 때 특별한 능력을 보입니다.

외향형이 매력을 발산하고 사교성이 많은 장점을 소란스럽다거나 참견이 많다고 탓하지 맙시다. 외향형은 유창하고 순발력 있는 대화 능력을 바탕으로 동료를 대변하며 사교적이고 의사소통이 필요한 역할에서 돋보일 수 있습니다.

내향형처럼 부드럽게 그려보기

내향형처럼 부드럽게 그려보기는 음악을 들으며 손 가는 대로 낙서하듯 그리며 마음의 균형을 잡는 연습입니다. 선을 부드럽게 쓰려면 정교하고 섬세한 힘 조절이 필요합니다.

윤곽선이 있는 듯 없는 듯 부드럽게 표현하며 신중하고 조심스러운 표현을 체험합니다. 가는 선을 여러 번 그리며 형태를 표현하고 안개로 싸인 풍경을 그려보며 섬세하고 부드럽게 표현하는 체험입니다.

지우개와 연필 없이 즉흥적으로 표현하고 마음에 들지 않는 선을 그렸을 때는 조금 진한 색을 사용하거나 여러 번 선을 겹치면서 원하는 형태를 만들기를 권합니다. 파스텔을 사용하여 윤곽선 대신 색상을 섞어 부드럽게 연결하는 연습 역시 새로운 체험이 됩니다.

강조하고 싶은 이야기를 큰소리치지 않고 잔잔하게 여러 번 말하는 성향이 편하게 느끼는 표현입니다.

스스로에게 집중하고 내면에 자리한 고요함을 느끼는 명상 수행법으로 묵언 수행이 있습니다. 내향형은 묵언 수행을 효과적으로 활용할 수 있습니다. 묵언 수행에서 말을 하지 않는다는 의미는 눈 떠서 잠들기 전까지 모든 시간을 주제에 집중하고 다른 관심을 갖지 않는다는 의미입니다. 묵언을 할 때, 밖으로 눈길도 주지 않습니다. 오로지 내면을 향하여 집중합니다. 내면을 향해 있는 내향형은 자유롭고 고요한 느낌을 반갑게 맞이합니다.

1. 제목이나 내용을 모르는 3~4분 연주곡을 준비합니다.
2. 편안한 자세로 심호흡을 2~3번 합니다.
3. 눈을 감고 가슴으로 연주곡을 듣습니다.
4. 꿈처럼 스치는 장면이나 기억, 떠오르는 생각이나 감정을 영화 보듯 봅니다.
5. 다시 연주곡을 들으며 메모하듯, 낙서하듯 간략하게 장면을 그립니다.

6. 비슷한 그림을 한 장 더 그립니다. 부드럽게, 흐리고 섬세하게, 윤곽선이 있는 듯 없는 듯.

1 ~ 6을 여러 번 연습합니다.

한 장 더 그릴 때 두 번째 장이 먼저 그린 그림과 똑같지 않아도 됩니다. 부드럽게 그리는 연습을 위한 과정입니다.

흐리고 가는 선을 사용하는 편이 강한 선으로 주인공을 드러내는 경우보다 작품 주제가 더 잘 드러날 수 있습니다. 하나하나 개성을 다 강조하면 처음 의도한 가을바람에 흔들리는 여린 코스모스가 모여서 속삭이는 느낌은 사라집니다.

처음 그린 그림을 이미 충분히 부드럽고 가늘게 표현한 경우 더 여리게 그리기가 어렵습니다. 내향형이 끝없이 내향으로, 일상생활 모든 순간을 내향으로 살기는 어렵듯이. 더 부드럽게 표현하기는 강하게 표현하고 싶은 욕구를 갖게 되는 체험이 됩니다. 이 과정을 체험한 후 의도를 갖고 때때로 강한 표현을 시도하는 참여자도 있습니다.

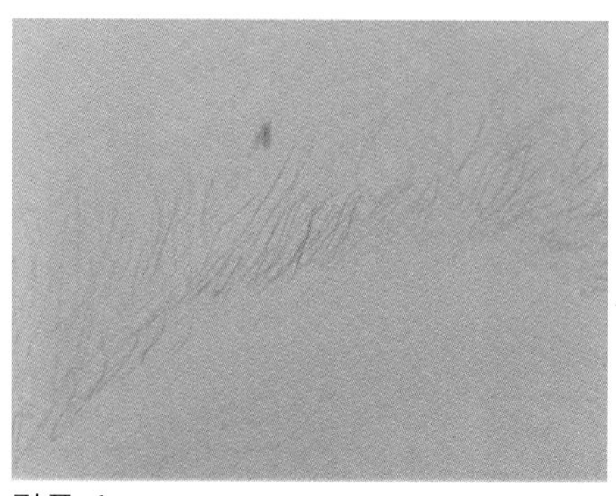

작품 1

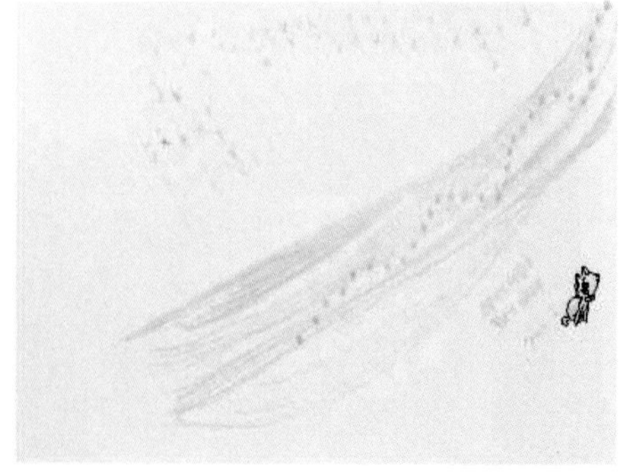

작품 2

〈작품 1〉은 색연필을 사용하여 주로 가늘고 섬세한 선으로 들과 산, 풀을 표현했습니다. 따뜻하고 부드러운 바람이 피부에 닿는 느낌입니다.

〈작품 2〉 역시 색연필을 사용한 가늘고 부드러운 선으로 작품을 표현했습니다. 벚꽃이 흩날리는 봄밤, 잔잔한 별빛이 축복하는 길을 걷고 싶게 만드는 작품입니다.

외향형처럼 강하게 그려보기

외향형처럼 강하게 그려보기는 음악을 들으며 떠오르는 장면이나 표현하고 싶은 장면을 강하게, 윤곽선이 두드러지도록 진하고 확실하게 나타내는 연습입니다. 강하게 그리면서 당당함을 표현합니다. 세상 모든 것은 변하고 있으니 영원한 진리를 찾기는 어렵지만 지금, 이 순간 감정과 논리는 확실하다고 외치듯이 그립니다.

현재 일어나는 마음을 관찰하는 명상 방법 중에 '대화하는 나를 바라보기'가 있습니다. 일상생활에서 누군가와 대화할 때 말을 하는 몸과 마음, 대화 자체를 모두 바라보며 매 순간 현재를 확인하는 수행법입니다.

혼자 조용한 곳에서 한 가지 일을 할 때 나를 바라보며 마음 알아차리기가 쉽게 이루어지는 단계라도 여러 명과 함께 대화를 하는 장면에서 자신과 대화 내용, 상대방까지 바라보기는 어렵습니다.

'대화하는 나를 바라보기' 명상은 외부로 향하는 시선을 갖는 외향형이 외부와 함께 자신의 내면을 동시에 바라보는 연습을 할 경우 활용하기 좋은 생활 명상입니다. 명상을 하며 누리는 기쁨과 평화를 삶에서 유지하려면 일상생활을 하는 동안 지속되는 수행이 필요합니다.

1. 제목이나 내용을 모르는 3~4분짜리 연주곡을 준비합니다.

2. 편안한 자세로 심호흡을 2~3번 합니다.

3. 눈을 감고 가슴으로 연주곡을 듣습니다.

4. 꿈처럼 스치는 장면이나 기억, 떠오르는 생각이나 감정을 영화 보듯 봅니다.

5. 다시 연주곡을 들으며 메모하듯, 낙서하듯 간략하게 그림으로 느낌이나 장면을 표현합니다. 여기까지는 내향형처럼 부드럽게 그려보기와 과정이 같습니다.

6. 비슷한 그림을 한 장 더 그립니다.

강하게, 확실하게, 진하게, 윤곽선이 분명하게.

1 ~ 6을 여러 번 연습합니다.

심이 가는 색연필이나 연한 색 펜으로 강하게 그리기는 어렵습니다. 진한 색과 굵은 펜으로 강한 표현을 쉽게 하는 동료들 옆에서 끝까지 처음 잡은 색연필로 강하게 표현하려는 노력을 하는 경우가 있습니다. 주변을 둘러보지 않을 수도 있고 자신이 잡고 있는 도구를 바꿀 수 있다는 생각을 전혀 하지 않을 수 있습니다. 강하게 그리기를 여러 번 연습하며 강렬한 존재감이 주는 느낌을 체험하면 생활 속에 강함이 필요한 순간, 자연스럽게 외향처럼 존재감 있는 표현을 할 수 있습니다.

〈작품 3〉은 크레파스 마카, 싸인펜을 사용하여 진하고 굵은 선으로 형태를 만들어서 가로수 늘어선 길과 하늘을 표현했습니다.

마카로 그린 거침없는 선이 목표를 향해 강건하게 나가는 의

작품 3

지를 느끼게 합니다. 선명한 녹색과 푸른 하늘에서 젊음이 뿜어 나옵니다.

〈작품 4〉는 마카를 사용하여 바탕까지 칠했습니다. 먼 우주에서 지구를 향해 유성이 날아오는 모습으로 유성과 꼬리를 강조하며 윤곽선을 강하게 표현했습니다.

어둡고 푸른 우주에서 하얗게 빛나는 작은 별, 녹색과 파랑색이 섞인 지구를 음악을 들으며 밑그림 없이 그리기 시작해서 20분 정도에 완성한 작품입니다.

과감하고 당당한 표현입니다.

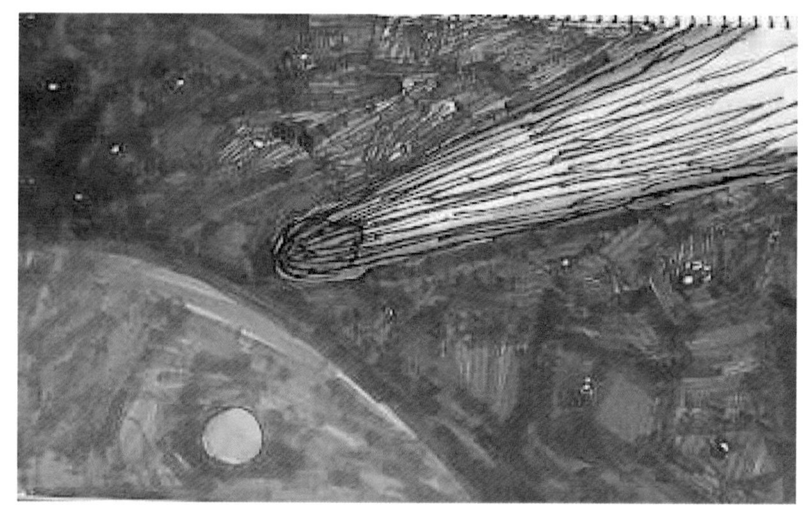
작품 4

감각형(S)과 직관형(N)

두 번째 MBTI 기준은 문제가 생겼을 때 문제를 있는 그대로 보고 해결을 시작하는 감각형(S)과 왜? 어떻게? 이런 문제가 생겼을까? 하는 궁금증에서부터 문제를 보는 직관형(N)입니다.

집주인 : "잘 잤어?"

놀러온 친구 : "매트 어디서 샀어?"

집주인 : "가볍고 푹신하지?"

집주인이 오랜만에 놀러 온 친구와 아침에 나눈 대화입니다. 질문에 대한 정확한 대답도 설명도 없습니다. 평소 침대에서 자는 친구에게 바닥으로 바뀐 잠자리가 불편했는지 묻는 집 주인의 말에 친구는 편안했다는 대답 대신 매트를 어디서 샀는지 묻습니다. 주인 역시 판매처 대신 매트의 장점을 말하며 대담을 끝냅니다.

상대가 알 만한 내용은 건너뛰고 띄엄띄엄 말하는 직관형인 두 사람이 나눈 대화입니다. 감각형(S)인 사람이었다면 사실을 확인하면서 하나하나 묻고 대답할 겁니다.

기러기가 날아가는 모습을 보면서, "가을이 가는군" 하는 사람이 직관형이라면, "7마리가 길게 줄지어 가네" 하는 사람은 감각형이라고 할 수 있습니다.

직관형은 조직이나 사회에 속해 업무를 하는 경우 본인이 사회, 조직이 존재하기 위해 꼭 필요한 역할을 한다고 알면 업무 효율이 오르는 사람입니다. 교통비를 아끼기 위해 대중교통을 이용한다는 생각보다 지구 환경을 생각해서 기름 소비를 자제한다고 생각할 때, 실천 의지가 커집니다.

간략하게, 큰 의미를 부여하며, 단언하듯 표현하는 직관형은 새로운 방법을 찾는 독창성과 상황과 조건을 재구성하는 능력이 뛰어납니다. 보이는 것 너머를 보고 준비하고 만들어야 하는 역할에서 빛이 납니다.

오감이 발달한 감각형은 자세히 한 단계 한 단계 설명하며 현실을 구체적으로 인식합니다. 빠르고 정교하게 현실을 받아들입니다.

주변을 인식하는 방식이 다른 감각형과 직관형은 서로 이해하기 어려워합니다. 언뜻 보면 사귀고 싶은데 막상 이야기를 나누면 서로 무슨 말을 하는지 답답합니다. 상황이나 정보를 대하는 방식이 처음부터 다르기 때문입니다. 같은 사진에서 보고 기억하는 내용 차이가 큰 감각형과 직관형은 함께 중요한 사항을 결정하는 자리일 경우 의논이 끝나고 반드시 정확한 의미를 확인해야 서로 오해가 없습니다.

감각형처럼 자세하게 그려보기

감각형처럼 자세하게 그려보기는 자신과 타인을 공감하고 이해하기 위하여 섬세하게 인지하고 구체적으로 표현하는 연습입니다.

잠시 눈을 감고 귀 기울여 음악이나 종소리를 듣다가 중요한 경험이나 떠오르는 장면을 자세하게 묘사합니다. 사실 그대로, 있는 그대로 표현하기 위해 정지 화면을 확대하여 보는 느낌으로 그립니다. 산 전체보다 나무 한 그루 한 그루를 보이는 대로 선명하고 정밀하게 그리는 수업입니다.

시간을 충분히 갖고 하나의 정물을 정밀하게 그리는 연습으로 시각을 확장하고 소근육을 효과적으로 키울 수 있습니다. 정밀묘사를 통해 하나의 정물을 오랫동안 보고 그려보는 시간은 사물을 보이는 대로 인식하는 습관을 길러줍니다. 사물과 사람을 인식하는 순간 전체적인 이미지로 받아들이는 직관형이 어려워하는 체험입니다.

여러 명이 함께 했던 시간, 같이 한 일을 다르게 기억하는 경우를 흔하게 봅니다. 서로 입장이 달라서이기도 하지만 상황을 접한 순간부터 다양한 방식으로 인식하기 때문일 수 있습니다.

나와 다른 성향을 타고난 사람에 대한 이해의 폭과 깊이는 다른 사람이 즐겨하는 방식으로 생각하고 느끼는 연습을 통해 넓힐 수 있습니다.

작품 5

〈작품 5〉는 한가한 거리를 사진으로 찍어 놓은 듯이 표현하고 있습니다. 모자에 달린 리본이 바람에 날리는 모습과 레이스 상의에 짧은 치마를 입고 미소 띤 얼굴이 여유롭게 보입니다.

거리를 다니는 강아지와 땅에 끌릴 듯한 원피스를 입고 옷가게를 향하는 여인의 뒷모습까지 거리 풍경을 구체적으로 그려내고 있습니다. 경쾌한 음악이 흐르고 싱그러운 향기가 풍길 듯합니다. 오감이 살아 있는 풍경입니다.

〈작품 6〉은 달빛 아래 한복을 입은 사람들이 한가위 강강술래를 하며 흥겹게 움직이는 모습입니다. 손을 잡고 뛰는 듯 나는 듯 움직임이 보입니다. 같은 옷을 입은 한 사람 한 사람이

작품 6(왼쪽) 작품 7(우)

얼굴 방향과 치마 모양이 조금씩 다르게 표현 되었습니다. 붉은 댕기와 치마가 하늘거리고 어디선가 낭랑한 합창으로 강강술래가 들릴 듯합니다.

〈작품 7〉은 연주자와 청중 표정이 섬세합니다. 작가는 두 손을 모으고 집중하는 모습의 청중과 클라리넷에서 퍼져나가는 악보, 클라리넷을 불고 있는 징징이의 눈을 감은 얼굴 등으로 구체적인 표현을 하고 있습니다.

직관형처럼 드넓게 그려보기

직관형처럼 드넓게 그려보기는 간략하게 생략하는 연습입니다. TV에서 여행 관련 프로그램을 보면 헬리캠이 촬영한 광활한 자연이 발 아래 펼쳐집니다. 높은 곳이나 멀리서 보이는 장면을 그린다고 상상합니다. 먼 산을 볼 때와 굽이굽이 흐르는 넓은 강을 볼 때처럼 나무보다 숲을 표현하는 연습입니다.

풍경화를 그릴 때 먼 곳부터, 큰 대상부터 그립니다. 분위기를 표현하기 위해 형태보다 색감 선택을 우선하고 작은 부분은 과감하게 생략합니다.

명상을 하는 많은 사람은 자기성찰을 합니다. 수행 방법으로 호흡 바라보기, 마음 관찰, 과거 돌아보기, 강의 듣기 등을 하면서 객관성을 갖고 자신을 보기 위한 노력을 통해 몸과 마음을 알아차리려고 합니다.

시간과 공간을 초월하는 진리를 찾는 공부를 할 때 자신이 살아 있는 느낌을 갖는 사람은 자기성찰 역시 깊고 넓게 합니다. 직관형은 명상에 있어서 통찰력이 장점입니다. 집중하여 생각 하나 감정 하나를 세밀하게 바라보는 수행은 그 하나를 받치고 있는 바탕을 느끼기 위한 과정입니다. 오감 너머에 있는, 보이지 않고 만질 수 없는 직관으로 자신의 모든 지식, 모든 경험을 한 줄로 꿰어 진리에 다가가는 통찰을 할 수 있습니다.

작품 8

〈작품 8〉은 별의 잠자리를 드넓은 우주를 배경으로 그렸습니다. 상상력이 한계를 갖지 않는 모습입니다. 작가는 본 적 없는 무언가를 궁금해하고 새롭고 독창적인 표현을 즐기는 직관형입니다. 별이 잠을 잔다는 상상이 기발합니다. 잠자리는 따뜻하고 아늑하게 품어주는 큰 별로 표현했습니다. 흩어져 있는 작은 별들이 우주가 광활함을 잘 보여줍니다.

직관형은 넓고 멀고 새로운 감각을 선호합니다. 화창한 낮에 창가에 앉아서 깊은 밤과 우주를 자유롭게 상상합니다. 가는 선으로 배경을 칠하고 있는 색연필을 잡은 손이 아픈 느낌보다 우주를 상상하는 즐거움이 더 큽니다.

작품 9

〈작품 9〉는 눈 내리는 바다를 표현했습니다. 섬 하나 배 한 척, 등대 하나도 없이 온통 바다를 그렸습니다. 작가는 하얀 눈이 바다에 떠 있기도 하고 가라앉기도 한다고 설명합니다. 잠시 그림을 보며 하얀 눈이 날리는 겨울 바다를 상상하면 멀리 희미하게 빛이 있는 바다를 마주하는 느낌입니다.

흩날리는 눈발은 과감하게 굵직합니다. 주제가 갖는 존재감과 눈발이 날리는 모습을 리듬감 있게 표현했습니다.

눈 오는 하늘을 바다와 보색인 노란색으로 칠했습니다. 독창성이 돋보이는 작품입니다.

사고형(T)과 감정형(F)

세 번째 유형은 이해가 돼야 공감할 수 있으면 사고형(T), 이해하지 못해도 공감한다면 감정형(F)으로 나눕니다.

"자기야, 첫눈 와요."

아기를 돌보다가 문득 창밖에 첫눈이 내리자 연애 시절 남편과 눈길을 걸으며 다정했던 때가 생각난 아내가 애틋한 저녁 시간을 기대하며 전화를 걸었습니다.

"그래서?"

결과보고서를 쓰며 숫자를 맞추고 있던 남편은 무뚝뚝합니다.

"학원 다녀와서 놀 수 있잖아." 엄마가 하는 이야기입니다.

멀리 이사 간 아들 친구가 방학중 이틀을 놀러 왔습니다. 엄마는 방학 특강 중인 학원 수업을 뺄 수 없다고 강력하게 말합니다.

"이틀만 빠지고, 더 열심히 할게."

아들은 몇 달 만에 친한 친구를 만났는데 친구를 잠시라도 혼자 있게 할 수는 없다고 주장합니다.

업무를 결정하고 거래처를 선택할 때와 놀러 갈 장소를 찾고 술 한잔 할 친구를 사귀는 기준은 다릅니다. 가을에 시집을 펼치는 마음과 연말에 보고서를 넘기는 마음이 다르듯이.

사고형은 비교, 분석, 판단하는 능력으로 효율을 추구합니다.

논리에 대한 이해도가 높아 논리적 문제점을 민감하게 찾아야 하는 역할을 잘합니다.

감정형은 공감에 있어 유연하고 융통성 있습니다. 조화를 추구하고 친한 사람과 지속적인 관계를 유지하며 연결하는 역할에서 능력을 발휘합니다.

기쁘고 감사하는 순간을 일상 중 내내 만날 수 있다면 좋으련만 서럽고 슬픈 순간도 순서를 기다렸다 달려옵니다. 느껴지는 모든 감성을 다 표현한다면 주변에서 상담 치료를 권유받을 겁니다.

마음이 피곤하면 감성이나 논리가 다투다가 원치 않는 쪽에 치우친 결정을 내리게 됩니다. 마음은 갈등하며 시달린 시간을 보상하는 쉼이 필요합니다.

사고형처럼 논리적으로 표현하기

사고형처럼 논리적으로 표현하기는 명료하고 정교한 구성을 연습하는 과정입니다.

눈 감고 심호흡하다가, 혹은 자연에서 들리는 소리에 귀를 기울이다가 문득 떠오른 장면을 어린 조카에게 설명하듯 그림으로 표현합니다.

균형을 이루려는 마음은 감성을 자극하고 풀어주는 시간과 함께 자신이 갖고 있는 논리를 활짝 펼칠 수 있는 시간 역시 필요합니다. 타인이 주장하는 개성 있는 논리를 이해하는 능력은 다양한 논리를 융통성 있게 바라보겠다는 의지가 있을 때 키울 수 있습니다. 우리들은 저마다 다양한 감정만큼이나 다양한 논리를 갖고 있습니다.

생각하는 방식은 행동 습관으로 굳어지기 쉽습니다. 일요일 오전에 무엇을 할지 생각할 때 날씨를 먼저 고려하는 사람이 있는가 하면 최신 영화부터 검색하는 사람이 있습니다. 먼저 교회에 가서 기도를 한 후 가족 외출을 해야 한다고 생각하기도 하고, 줄 서는 맛집을 먼저 가야 한다고 주장할 수도 있습니다. 자기성찰 중에는 서로 논리가 다른 거라고 이해하지만 생활에서는 다시 자신의 논리를 반복하게 됩니다.

결정을 내리기 위해 사안에 대해 객관적으로 분석하고 공평한 판단을 선호하는 사고형처럼 그리는 체험을 통해 생각은 물론, 감정도 논리적으로 전개하는 방식을 이해할 수 있습니다.

명상을 할 때 사고형은 깊은 사색을 하며 명상의 목적이나 원리를 이해하고자 노력합니다. 존재에 대한 철학적 질문을 해결하고자 생각에 생각을 거듭하고 삶의 의미를 설명하는 새로운 접근 방식을 분석합니다.

자기성찰 역시 분석적으로 접근하므로 수행과 함께 의식이 성장하기를 추구합니다. 존재에 대한 이해는 깊은 명상으로 나아갈 때 거쳐야 하는 과정입니다.

한 가지 질문을 스스로에게 묻고 답을 찾을 때까지 3일 이상 집중을 유지하며 같은 질문을 던지는 시간을 갖다 보면 생각이 어디에서 시작했는가를 확인할 수 있습니다. 처음부터 내 생각이 없었음을 알게 되면 진정 나는 누구인가를 다시 묻게 됩니다. 사고형이 잘할 수 있는 수행 방법입니다.

마음이란 도대체 무엇인지 혹은 인간은 어떤 존재인가에 대한 답을 스스로 생각하고 찾아낼 수 있는 사고형입니다. 책이나 선생님에게 들은 내용을 충분히 이해하지만 스스로 답을 찾고자 합니다. 사고형은 어려운 문제를 해결하는 전략을 찾는 능력을 명상과 사색에서 발휘합니다.

〈작품 10〉은 흥얼흥얼 멜로디를 따라가며 느껴지는 즐거움을 문자와 오선지 위 음표로 표현했습니다. 음악에서 받은 느

작품 10

낌을 그림으로 표현하며 문자를 크고 선명하게 사용하고 있습니다.

처음엔 직선이던 오선지와 음표를 두 번째는 곡선으로 그리며 자연스럽게 경쾌함이 살아났습니다. 창문을 통해 경쾌한 바람과 밝은 빛이 들어오는 모습을 서사적 논리로 전개했습니다.

또한 작가는 제목을 빨강 글씨로 그림에 넣어 짧은 음표와 밝은색을 쓰고 있는 이유를 확실하게 보여줍니다.

〈작품 11〉은 전쟁터로 향하는 버스를 검정색과 녹색으로, 자를 대고 그은 직선으로 표현하고 있습니다. 평화를 갈구하는 마음과 죽음이 만연했던 1950년이 선명하게 드러납니다. 버스 번호처럼 쓰인 숫자와 타이어 휠, 버스 윗부분 환기구, 짐칸 등

작품 11

이 정교하고 차갑게 보입니다.

슬픈 장면을 분석하고 재해석하여 새로운 이야기를 만들어 낸 작품입니다.

감정형처럼 감성 듬뿍 표현하기

감정형처럼 감성 듬뿍 표현하기는 눌러 왔던 감성을 연습장 위에 맘껏 펼치는 시간입니다. 3~4분짜리 연주곡을 듣다가 혹은 눈 감고 주변 소리에 귀를 기울이다가 문득 떠오르는 기억이나 꿈에서 본 듯 지나가는 느낌을 낙서처럼 끄적입니다. 낙서하는 방법을 모르는 어른보다 교과서 한쪽 구석에 무엇인지 모를 연필 자국을 남기는 아이가 되어 봅니다.

드라마를 보며 현실성을 논하기 시작하면 감성은 깨집니다. 유연하고 융통성 있는 태도로 인간관계를 봅니다. 공감 능력을 키우려면 일단, 공감하기로 마음먹어야 합니다. 공감하는 폭이 넓어질수록 자신 안에 자고 있는 감수성이 깨어나 날개를 펼치고 높게 날 수 있습니다.

평소 감성을 잊고 지내다가 몸이 피곤한 어느 날 사소한 일에 화가 나거나 가슴이 답답해지는 경우가 있습니다. 오랫동안 작게 일어났던 감정을 모른 척하거나 무조건 긍정해야 한다는 생각에 싫은 마음을 부정한 결과입니다. 잔여 감정은 만병의 근원인 스트레스 원인입니다. 가끔 짬을 내어 순전히 내 안에서 일어나는 감성에 집중하는 여유가 삶에는 필요합니다.

감정형이 하는 칭찬은 아름답습니다. 듣는 이에게 기쁨과 용기를 줍니다. 타고난 공감 능력이 감동을 불러일으킵니다. 명상을 할 때 역시 가슴이 먼저 반응합니다. 슬픔이나 기쁨, 분노 혹은 용기가 가슴으로부터 온몸으로 전해집니다. 생각으로 감정을 인지하기 전에 몸이 먼저 반응합니다. 통증으로 느낄 수도 있습니다. 무심히 있는 평소에 혹은 잠을 깬 아침에 느껴지는 몸 상태가 그 이후 만나게 되거나 오랜만에 연락이 오는 사람이 주는 감정과 연관이 있기도 합니다. 마찬가지로 그날 있었던 일과 사람이 남긴 감정이 몸에 남아 있기도 합니다. 기쁨이든 슬픔이든 몸에 남은 감정은 알아주고 고요함으로 품을 수 있을 때 떠납니다.

자기성찰 명상을 하면서 심장이 쿵쾅거리고 호흡이 거칠어지기도 하고 자연스럽게 몸을 좌우로 흔들게 되거나 허리를 돌리는 동작이 나올 수 있습니다. 몸이 기억하는 감정을 몸이 풀어내려는 자정 작용입니다. 당황하지 말고 여유를 갖고 의도나 판단 없이 몸의 움직임을 알아줍니다. 몸에 과하게 감정을 싣지 말고 그냥 알아주는 고요함을 유지하면 서서히 몸과 마음이 편안해집니다.

일상생활 중에 뒷목에 열감이 있거나 맥박이 빨라지는 몸을 감지하면 슬픔이나 화가 일어나려는 작용임을, 말과 몸의 움직임이 늘고 입안에 단침이 고일 때는 흥분과 기쁨이 일어나는 작용임을 알아차리고 스스로 감정 표현을 조절하거나 고요함으로 감정을 바라보는 수행 방법을 감정형은 적극 활용할 수 있

작품 12

습니다.

〈작품 12〉는 넓은 대지와 산들산들 불어오는 바람, 평화롭게 서 있는 나무와 흩날리는 꽃잎으로 자연에 대한 사랑을 표현하고 있습니다. 하트를 그린 붉은 색이 시원한 배경 위에 부드럽고 확실하게 사랑을 전달하고 있습니다.

작품 색상에서 봄 내음이 싱그럽게 다가옵니다. 파란 하늘과 별이 빛나는 밤하늘이 공존하는 배경은 시공간을 초월하는 뛰어난 유연함이고 융통성입니다.

자연과 공감하고 교류하는 감수성이 돋보이는 작품입니다.

작품 13

〈작품 13〉은 제목이 단 하나의 인간입니다. 작가는 희미한 어둠 속에서 무성한 풀밭과 밝은 태양 앞에 선 지구에 남은 마지막 인간을 그렸습니다. 음악을 들으며 떠오른 이미지들을 화면에 모두 담았다고 합니다.

멀리서 스며드는 어둠과 홀로 서 있는 모습이 외롭게 다가오는 작품입니다. 절대 고독을 어렴풋이 느끼게 합니다.

풀밭을 표현한 녹색이 지구가 아직 생명력을 갖고 있음을 보여줍니다. 빛을 바라보며 어둠에 대한 두려움을 이겨내고 다시 아침을 맞이 할 힘을 얻는 단 하나의 인간입니다.

판단형(J)과 인식형(P)

MBTI에서 이야기하는 네 번째 성향은 판단형과 인식형입니다. 일단 시작하면 반드시 끝을 보는 판단형(J)과, 어디서부터 일을 시작할지 시간을 두고 보는 인식형(P)은 약속 시간이나 마감 기일을 지키는 습관 같은 데서도 차이를 보입니다.

판단형으로 이루어진 팀은 여행 계획을 세울 때 행선지는 물론, 숙박, 식당, 관광지 입장료까지 계획을 세우고 시간대별 세부 일정까지 미리 결정합니다. 비가 오거나 사고가 나는 돌발 상황에서는 어떻게 대처할지 계획에 넣습니다. 패키지 여행일 경우, 계획에 맞게 일정이 진행되는지 꼼꼼히 체크하고 결정한 대로 진행됐을 때 만족하는 팀입니다.

또한 목표에 다다르는 효율이 중요한 유형입니다. 당장 필요한 물건과 보관할 자료를 선별하고, 수납공간을 찾아 잘 정리한 환경에서 작업 능률이 오릅니다. 친구들보다 빨리 끝내고 남는 시간을 즐기는 여유가 스스로에게 주는 상입니다. 따라서 판단형은 정확하게 계획을 완수하는 책임감이 장점입니다. 정리, 체계, 성취와 같은 부분에서 뛰어납니다.

인식형으로 구성한 팀은 여행을 계획할 때 행선지나 비용을 결정하는 단계부터 많은 이야기가 오가고 회의가 길어지나 구체적인 계획이 잘 나오지 않습니다. 여행중 자동차 고장으로 작은 시골 동네에서 시간을 보내야 할 돌발 상황을 오히려 특별한 경험으로 여길 수도 있습니다.

인식형 회사 상사일 경우, 자신이 결재한 사안에 대해 마감일 직전에 새로운 결정을 내리기도 합니다. 업무를 맡고 있는 실무자는 감당하기 힘들 수 있습니다.

인식형은 제출하는 마지막 순간까지 더 보고, 더 듣고, 더 생각하고 싶습니다. 실제로 행동하기에 앞서 충분히 듣고, 보고, 생각하고, 느끼면서 지식과 정보를 담는 시간을 즐깁니다. 쌓아 둔 정보와 감성을 활용하여 새로운 관점으로 상황을 바라보며 독창적인 해결책을 만듭니다.

목표를 여러 개 두고 실제로 구현이 어려우면 바로 목표를 수정하는 융통성이 있습니다. 변화를 빨리 인정하고 대응책을 세우거나 새로운 상황에 적응해야 하는 업무에 능합니다.

판단형처럼 목표를 확인하고 표현하기

판단형처럼 표현하기 과정은 그림을 그리기 전에 어떤 구성으로 진행할지 계획합니다. 풍경화를 그리는 경우, 전체 구도를 생각하고 구도에 어울리는 배경과 그림의 주제, 부제 등을 어디에 배치할지 계획합니다. 또한, 그림을 그리면서 처음 정한 목표대로 잘 그리고 있는지 중간에 계획을 확인합니다.

신중하게 선정한 목표를 향해 부지런히 나아가는 태도를 체험하는 수업입니다. 스스로 결정한 사항을 실천하고 마무리하는 경험을 쌓으면, 주제를 정교하게 파악하고 끝까지 수행하는 장점을 키울 수 있습니다.

판단형이 명상을 할 때 가장 힘든 점은 효율에 대한 의지를 놓고 목표나 계획과 다르게 다가오는 마음을 너그럽게 받아들이기입니다. 명상을 높은 단계까지 공부하고자 계획할 때는 시간을 고려하지 말아야 합니다.

마음이 쉬는 자리를 찾아가는 명상 수행에서 판단형은 단호한 의지가 장점입니다. 계획하고 준비하고 실천하여 성취한 결과에 대해 자부심을 갖는 과정을 통해 판단형은 단호하게 스스로를 믿을 수 있습니다.

담담하게 마음을 바라보는 자기성찰을 하며 마음에 대해 알아가면서 새로운 깨달음을 얻었을 때, 새롭게 깨달은 지식이나 방법을 기반으로 수행을 지속해야 한 걸음 더 나아가 의식을 넓고 깊게 만들 수 있습니다. 이때 판단형의 단호함은 큰 장점이 됩니다.

넓고 깊은 의식을 실천하여 몸에 습관처럼 스며들면 비로소 그 단계를 벗어납니다. 편안한 호흡을 위해 복식호흡을 연습할 때, 역시 다음 단계가 궁금하거나 빨리 과정을 끝내고 싶어하다 보면 더 나아가지 못하고 오히려 중단할 수 있습니다.

물리적으로 측정이 가능한 세상을 살다가, 사랑이란 감정을 돈과 시간을 얼마나 투자하는가로 가늠하다가, 마음에 따라 행복과 불행, 건강이 좌우됨을 알게 된 이후에 스스로 터득한 마음을 일순위로 놓고 생활하는 단호함은 공부를 지속하게 만드는 원동력이 됩니다. 수행에 별 진전이 없이 여겨져도 이제까지 노력한 자신을 믿고 목표에 다다를 때까지 계속할 때도 단호함이 명상을 앞으로 나아가게 합니다.

마음에 대해 알고 마음의 끝을 경험해야 마음이 실체가 없음을 알게 되고 마음에 흔들리지 않는 자리를 찾을 수 있습니다. 어렵게 찾은 마음이 쉬는 자리를 삶에서 가장 소중한 가치로 여기겠다는 결정은 단호함과 자신에 대한 믿음에서 나옵니다. 판단형 같은 결심이 필요한 순간입니다.

잠깐 쉴 수 있는 편안함을 너머 삶이, 일상이 평화를 유지하려면 깨달음이 습관처럼 몸과 마음에 젖어 들어야 합니다.

작품 14

〈작품 14〉는 매우 신속하게 풍경화의 요소들을 그려 넣은 그림입니다. 작가는 무엇을 어디에 배치할지 어떤 크기로 그릴지 빠르게 판단하고 결정한 대로 신속하게 표현했습니다.

꽃밭과 새, 풀밭, 길, 집과 울타리가 구획을 나누어 화면을 차지하고 있습니다. 손에 도구를 들고 있는 일 할 준비가 된 사람이 기쁘게 웃는 모습이 보입니다.

결정을 내리면 반드시 해내는 판단형은 언제나 일을 하는 성실함을 보입니다. 중간 점검도 게을리하지 않는 판단형 작가는 작품 속 집과 꽃, 나무를 부지런히 가꾸고 있을 듯합니다.

〈작품 15〉는 수많은 군중의 박수갈채와 사랑을 한 몸에 받지만 최선을 다해 작품의 완성을 위해 남몰래 눈물 흘리며 노력하는 피겨 스케이팅 선수의 고뇌, 외로움을 표현하고 있습니

작품 15

다. 팔과 다리 모양이 주인공이 움직이는 장면임을 효과적으로 보여줍니다.

인간 본연의 외로움과 잠시 마주하게 하는 작품입니다. 낙서처럼, 잘 그리지 않아도 되는 그림이라는 설명에도 작가는 자신이 처음 계획한 대로 연필로 밑그림을 완성한 후 색을 칠했습니다.

인식형처럼 인식을 확장하고 표현하기

인식형처럼 표현하기는 융통성과 유연성을 키우는 연습입니다.

음악을 끝까지 듣고 느낌을 한 번에 표현합니다. 음악을 다 듣고 마지막에 떠오르는 이미지를 작품에 담습니다. 구상하지 않고 손 가는 대로 그냥 막 끄적거립니다. 언제든지 수정하거나 다시 그릴 수 있음을 전제로 합니다. 문득 떠오르는 새로운 생각을 반갑게, 즉시 표현합니다.

현재는 현재를 위해서만 존재합니다. 순간순간 다가오는 현재를 과거가 남긴 감정이나 미래에 대한 생각으로 채우면 오직 존재할 수 있는 순간인 현재를 버리는 것이나 같습니다. 생각할 때, 감정을 느낄 때 현재에 발을 붙이고 온전한 매 순간을 함께 느끼는 일상을 살기 위해 명상을 합니다.

인식형이 갖는 자유로움, 융통성은 새롭게 마음먹고 감정이나 생각을 일순간 바꿀 수 있는 장점이 있습니다. 모든 순간은 그 자체로 온전하기에 다른 순간을 위한 도구가 될 수 없습니다.

인생의 축소판이라는 스포츠 경기는 지나간 실수와 성과에서 빨리 벗어나 고요함을 찾을 때 온전하게 자기 실력을 발휘할 수 있습니다. 온전한 삶을 위해 마음 바탕으로 돌아가서 영원한 현재를 맞이하는 인식형이 되어 봅니다.

작품 16

〈작품 16〉의 제목은 책입니다. 두꺼운 책을 많이 읽고 많이 아는 사람이 되고 싶다는 설명을 했습니다. 작가가 추구하는 이상형을 두툼한 책 한 권으로 그린 작품입니다.

작가는 음악을 두 번 들을 때까지 전혀 그림에 손을 대지 않았습니다. 마무리하고 제출하라는 말을 듣고서야 이미 생각하고 있었다는 듯이 훅, 한 번에 작품을 완성 했습니다. 시간을 줄 수 있으니 표현을 더 하겠느냐는 제안에 작가는 충분하다며 산뜻하게 손을 떼고 만족해 합니다.

행동 직전까지 인식 과정을 즐기는 인식형 작가입니다.

작품 17

〈작품 17〉은 기다리던 봄비가 제목입니다. 비를 맞고 새싹을 반짝이는 나무와 즐겁게 어울리는 사람들 모습에서 비를 오랫동안 기다린 마음이 나타납니다. 멀리 있는 산이 구름을 잡고 있습니다. 축복처럼 봄비가 대지를 적시는 모습입니다.

작가는 비를 맞는 나무를 먼저 그린 후, 밝게 핀 꽃과 손잡고 뛰어노는 아이들을 그리고, 문득 무지개 색깔 우산을 쓴 연인과 굵은 빗방울을 그렸습니다.

그림에는 잘못 그려 지운 흔적도 그대로 보입니다. 작가가 그리려는 대상을 확장하고 계획을 수정하는 과정이 작품에 고스란히 나타났습니다.

고요함은 우주를 품는 바탕입니다.
고요함은 나를 이루는 바탕입니다.

5 마음 다지기

나도 모르는 내 마음 찾기

"누구나 한 번쯤은 ……"

가수 임재범이 늦가을 저녁 무렵, 국립중앙박물관 무대에 혼자 앉아 노래를 부르고 있습니다.

"나도 세상에 나가고 싶어, 당당히 내 꿈들을 보여줘야 해." 여기에 이르자 방청객 몇몇이 눈물을 보입니다.

다음 노래인 '아버지 사진' 마지막 소절인 "이별은 눈물을 덮죠."라는 구절에 숙연해집니다.

반백의 가수가 살아오며 겪었을 좌절과 도전, 용기, 아버지를 그리워하는 마음이 듣는 사람의 내면 어딘가에 닿았기 때문일 겁니다.

우리도 마찬가지입니다. 어떤 기억과 감정이 숨어 있는 줄도 모르고 지내다가 음악을 듣거나 책을 읽다가, 혹은 영화를 보던 중에 문득 마주하곤 합니다. 내가 모르는 내 마음 한 조각을 찾는 순간입니다.

숨 한 번, 점 하나 그림 명상에서는 내가 모르는 내 마음을 마음 다지기를 통해 찾습니다. 해결해야 할 문제가 있으면 머리가 복잡하듯이, 정리하지 않은 감정이 쌓여 있으면 가슴이 답답합니다. 마음 다지기는 나를 쉴 수 없게 만드는 생각이나 감정, 혹은 욕구 하나하나에 집중하는 연습입니다.

하나의 단어 혹은 문장을 계속 생각하다 보면 관련된 여러 마음이 떠오릅니다. 문득문득 떠오르는 마음 중에 해결책이 있기도 하고, 풀리지 않던 감정이 누군가와 공감하며 스르르 풀리는 순간도 있습니다.

마음 다지기는 한 장 한 장 벽돌을 쌓아 성을 짓는 과정과 같습니다. 마음이 쉬는 자리에서 집중하는 연습을 반복할수록 내가 모르던 마음이 섬세하게 느껴지고, 어떤 마음인지 정확하게 알게 됩니다. 하나하나의 마음을 벽돌 쌓듯 반복하다 보면 마음이 쉬는 자리는 넓고 튼튼해집니다. 한순간 지나쳐 버릴 수 있는 행복, 감사, 평화와 같은 마음이 뿌리내릴 수 있는 자리가 마련됩니다.

같은 말을 반복하는 사이사이, 점을 찍고 단순한 형태를 그리는 순간에 마음이 잠시 멈춥니다. 집중이 깊어져 몰입으로 갈수록 잠깐 멈추는 사이에 느끼는 고요함도 깊어집니다. 이 고요함에 내가 모르는 마음이 있습니다. 내면 저 바닥에 가라앉아 내 마음인지 알지 못한 마음이 고요하고 편안한 상태에서 찾아집니다. 나를 스치는 마음을 담담하게 바라 볼 수 있는 힘은 고요함에서 나옵니다. 마음이 쉬는 자리인 고요함으로 가는 방법인 마음 다지기는 나이, 성별, 배움과 관계 없이 누구나 쉽고 안전하게 배워 활용할 수 있습니다.

마음 다지기 주제로 매 순간 본인 이름 떠올리기가 있습니다.

자신과 마주하는 시간입니다. 작업을 진행하며 본인이 어떤 사람인지 개성을 발견하고 특별한, 유일무이한 존재로 의미를 찾게 합니다.

자유로운 인간관계는 누군가를 있는 그대로 인정하고 이해하는 자유로운 마음에서 나옵니다. 구체적인 한 사람에 대해 "이해합니다, 인정합니다"를 반복하는 마음 다지기는 새로운 관계를 만들 수 있습니다. 지금까지 몰랐던 마음을 찾으며 관계를 재정립할 수 있습니다.

또한 칭찬이나 위로를 타인에게 기대하면 타인 평가에 흔들리게 됩니다. 자신이 스스로에게 "위로합니다, 수고했어요"를 말하는 마음 다지기는 본인에 대한 자긍심을 키웁니다. 남이 알아주지 않아도 옳은 일, 좋아하는 일을 계속할 수 있는 끈기를 키웁니다.

배우자, 부모, 자녀를 향해 "사랑합니다"를 전하는 마음 다지기는 가족 한 사람 한 사람과 성숙한 관계를 만듭니다.

마음 다지기는 종이에 그림을 그리는 방법 외에 걸으면서 발이 땅에 닿을 때마다 같은 마음을 떠올리는 방법도 있고, 한 자리에 앉아서 가슴에 점을 찍는 상상하기로 진행할 수도 있습니다.

숨 한 번의 평화, 점 하나의 위로

숨 한 번으로 마음이 쉬는 상태를 만들고, 점 하나로 의미를 부여합니다. 숨결은 시간과 공간을 아우르는 한 덩어리 우주가 생명에 들고 나는 움직임입니다. 이 큰 숨을 쉬며 우주와 연결된 생명으로의 자신을 느낄 때 마음은 과거에 머물거나 미래로 달려가지 않고 현재에 존재합니다. 고요하고 평화로운 현존입니다. 마음이 쉬는 자리이기도 합니다.

점 하나를 찍으며 생각 하나, 주제 하나를 붙듭니다. 의지를 갖고 순간순간 흐트러지려는 마음을 하나의 생각에 집중합니다. 내면으로부터 집중한 마음은 깊은 상처를 위로할 수 있는 힘을 갖습니다. 숨 한 번 점 하나로 평화와 위로가 이루어지는 순간입니다.

종이에 점을 찍는 순간 자연스럽게 집중하고 펜을 드는 순간 후~ 숨을 쉽니다. 점에서 시작한 기하 형태는 많은 설명을 대신합니다. 점 하나에 뜨거운 사랑을 담을 수 있고 직접 말하기 쑥스러운 미안함을 담기도 합니다. 나를 위로하고 남을 축복할 수도 있습니다. 점 하나하나에 담긴 위로가 평화로운 숨을 쉬게 합니다.

그림에 마음을 담으며 몰입 상태를 지속하는 능력을 키울 수 있고 어디서 어떤 형태를 취하고 어디서 그만두어야 하는지를 스스로 판단하는 힘이 키워집니다. 빈 공간을 찾아서 형태를 더하거나 바탕을 칠해서 형태를 줄이는 등 다양한 표현이 가능합니다.

그림 명상 작품은 진단이나 평가 대상이 아닙니다. 그림 명상 그대로가 세상에 단 하나인 작품입니다.

기하 추상은 작가가 설명하기 전에는 미루어 짐작만 할 뿐 작가가 밝혀야 작품 제목이나 뜻을 알 수 있습니다. 숨 한 번에 평화를 찾고 점 하나로 위로를 전하는 그림 명상은 기하 추상을 도구로 씁니다.

점 하나로 시작하기

점에서 시작하여 동그라미, 세모, 네모(●, ▲, ■) 등으로 백지를 메워 나갑니다. 처음 시작하는 작업에서 점 크기나 점에서 도형 모양으로 바꾸는 선택은 중요하지 않습니다. 마음 다지기를 하는 주제에 집중합니다.

종이에 펜이 닿을 때 생각, 감정, 욕구에 의해 잊게 되는 주제를 다시 떠올리며 주제로 돌아오는 연습을 반복합니다. 시작할 때 정한 단어, 문장, 사람을 되뇌며 점찍기, 도형 그리기를 진행하다가 문득 떠오르는 마음을 메모합니다.

1. 손이 가는 컬러 펜을 고릅니다.

중심에 점을 그리며 자신 혹은 누군가의 이름을 마음으로 부릅니다. " ~~ 야, 사랑해."

이름을 마음에 담고 처음 그린 점을 보며 편하게 숨을 쉽니다. 점을 ●, ▲, ■ 형태로 만들 수 있습니다.

2. 처음 그린 점에서 조금 바깥쪽에 새로운 점 위치를 잡고 다시 "~~야, 사랑해."를 마음으로 되뇌며 점을 그립니다.〈

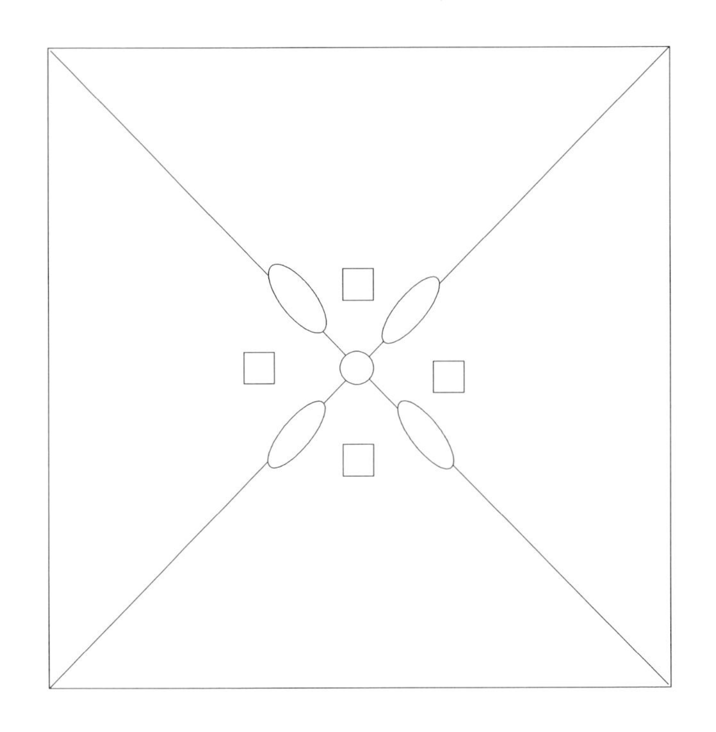

3. 그려진 점이나 도형 바깥쪽으로 적당한 공간을 찾고 점을 찍고 다시 도형을 그립니다. 〈 □

도형은 다양하게 변화시킬 수 있습니다.

●, ▲, ■, ⬮, ⬭

4. 컬러 펜은 매번 혹은 마음 내킬 때마다 교체합니다.

점에서 시작하는 도형을 다양하게 변화시킬 때도 마음으로 이름을 반복하여 부릅니다. 이름을 부르는 동안 떠오르는 생각은 간단히 메모하고, 다시 이름을 부르며 점을 찍는 마음다지기를 반복합니다.

5. 충분하다 싶은 순간까지, 더 이상 채울 공간이 없을 때까지 반복합니다.

작품 1

작품 2

마음다지기를 하며 어디쯤 점을 찍고 어떤 도형을 그릴지, 어느 만큼 공간을 확보할지, 어디에서 끝낼지 스스로 결정합니다.

작품 3

작품 4

점 하나로 시작하는 단 하나의 패턴

마음 다지기를 하며 점에서 시작하는 ●, ▲, ■ 등으로 마음을 꾹꾹 눌러 다지듯 혹은 널리널리 펼치듯 빈 공간을 찾아 채우다 보면 세상에 단 하나뿐인 패턴이 생깁니다. 단순한 기하 형태를 규칙적으로 반복하며 만들어진 패턴은 아름답습니다. 점, 선, 면과 색상으로 형태의 본질을 보게 하는 기하추상 작품입니다. 단순한 형태 반복은 한 가지 마음을 유지하도록 돕습니다.

마음 다지기를 하며 만든 기하추상 작품은 백 마디 하고 싶은 말을 담은 세상 단 하나의 패턴입니다.

우리는 생명이나 삶을 어떻게 이해해야 할지 모른 채 살다가 문득 알고 싶을 때가 있습니다. 삶에 대한 의미를 찾고 싶을 때 할 수 있는 마음 다지기 작업입니다. 스스로에게 삶이란? 하고 물어보며 점을 찍는 순간 작업이 시작됩니다. 점이 선이 되고 형태가 만들어지고 패턴이 나타나며 여기까지다, 하는 마음이 들 때까지 진행합니다. 문득 떠오르는 단어, 문장을 작품에 제목으로 붙입니다. 제목이 갖는 의미를 삶과 연관하여 한 번 더 생각합니다.

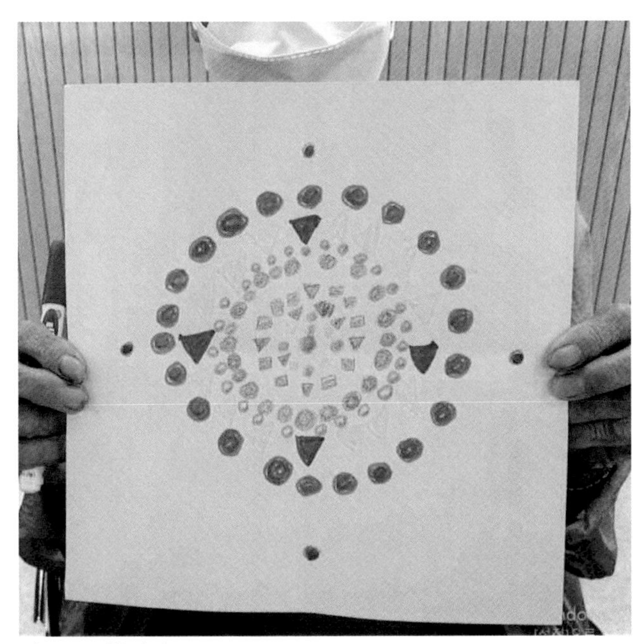
작품 1 완성작

〈작품 1〉 작가는 사랑하는 마음을 담아 옛날 학교 다닐 때 생각을 떠올렸습니다. 그림을 원래 못 그리지만 최선을 다했다고 합니다. 학교 다니던 시절에서 긴 시간이 흐른 후, 그때 모르고 지나간 마음이 고개를 내밀었나 봅니다.

숨 한 번에 점 하나로 시작하는 마음 다지기는 ●, ▲, ■에 마음을 담습니다. 잘하고 못하고가 없는 이 세상 단 하나의 패턴입니다.

작품 2 완성작

〈작품 2〉 작가는 날이 매일 흐리고 맑듯이 작가 마음이 한결 같지 않다며 스스로 마음을 다스리며 행복하게 살아야겠다고 합니다.

한결같은 마음을 갖고 땅에 발을 딛고 살아가는 순박한 삶이 받는 선물이 있습니다. 꽃향기 나는 봄날 살에 닿는 풀빛 햇살이나 잡초를 뽑는 손을 쉬게 하는 청량한 바람 같은 것들입니다.

위 작품은 멀리서 보면 똑같은 색과 형태를 일관성 있게 반복하고 있으나 손끝에 주는 힘은 조금씩 다릅니다. 일상에서 생기는 작거나 큰 흔들림을 스스로 다스리는 지혜를 전하는 작품입니다.

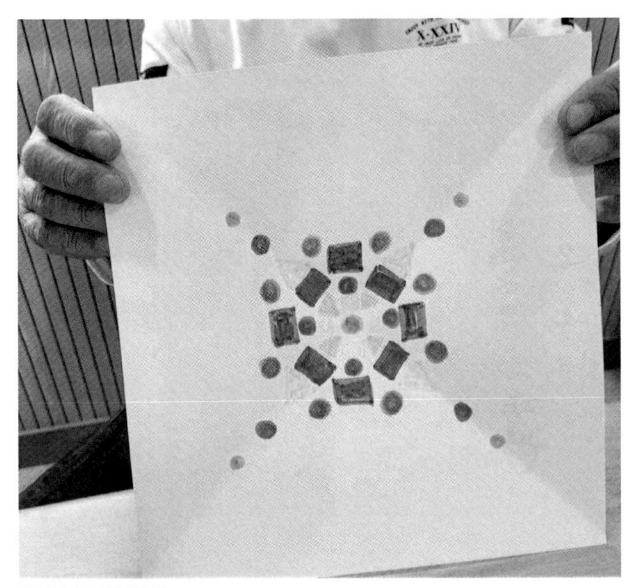
작품 3 완성작

〈작품 3〉은 제목이 행복입니다. 마음 다지기를 진행하면서 행복한 마음이 점점 커졌다고 합니다.

패턴을 어디에서 시작하고 어디쯤에서 끝낼지는 작가 마음입니다. 충분하다고 생각하면 거기서 끝냅니다. 끝냈다고 밀어 두었는데 빈 공간이 크게 느껴져 더 채우고 싶다면 더 그리거나 고칠 수 있습니다. 마음이 그러하듯.

현실은 시간에 쫓겨, 조건에 밀려 마음을 채우지 못하며 살지만 마음 다지기는 만족할 때까지 언제고 다시 할 수 있습니다.

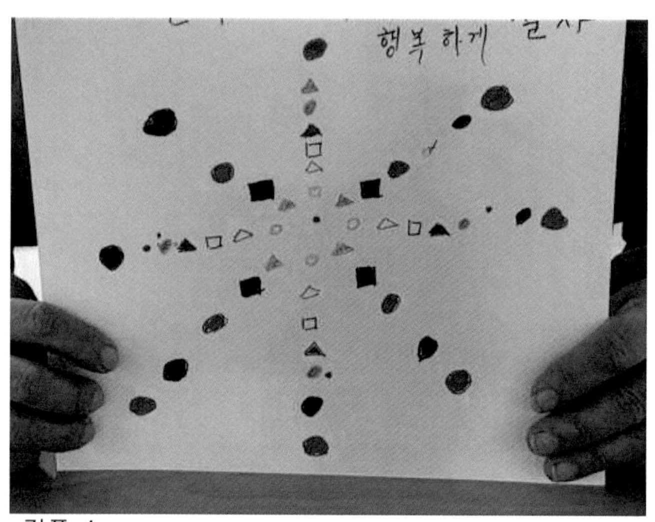

작품 4

남은 생애 끝까지 건강하게 둥글, 둥글하게 살자고 끝을 둥글게 했다고 〈작품 4〉 작가는 말합니다. 소감을 이야기하며 웃는 모습에서 평화가 전해집니다. 자신을 사랑한다고 마음 다지며 스스로를 위로하는 모습입니다. 사랑, 위로, 평화가 한마음으로 모였습니다.

작은 점 하나로 시작하여 건강하자는 다짐과 자신을 사랑하는 마음이 주변으로 확장하고 있는 패턴입니다.

떨리는 손으로 점 하나하나에 담은 정성이 공간 가득 느껴지는 작품입니다.

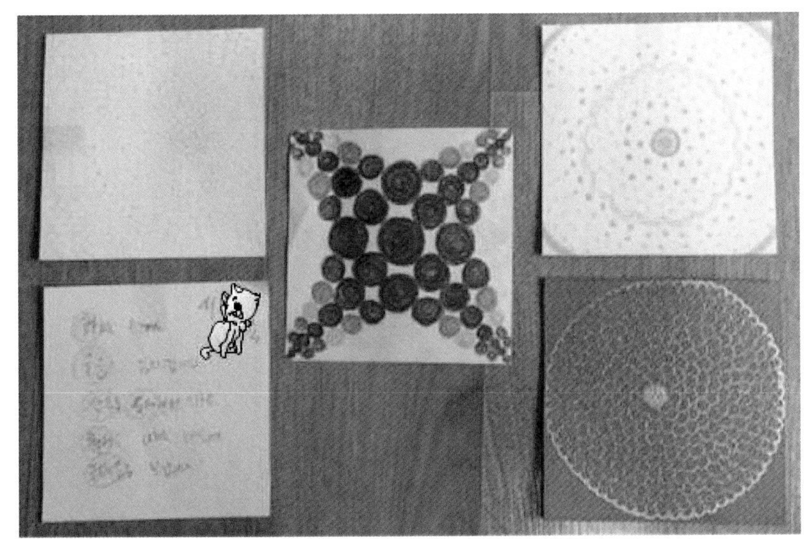
작품 5 : 카드1(왼쪽 위, 아래) 2(가운데) 3(오른쪽 위) 4(오른쪽 아래)

〈작품 5〉는 작은 종이에 마음을 전하듯이 표현한 다양한 마음 다지기입니다.

1. 화나는 순간에도 웃음을 잃지 맙시다. 실수는 용서하면 되고요, 최선을 다하는 태도에 고마움을 보냅니다.

2. 탈출(벗어나고파!)

3. 사랑과 감사 -- 오늘 내가 있기까지 모든 분들에게

4. 행복이 충만한 느낌

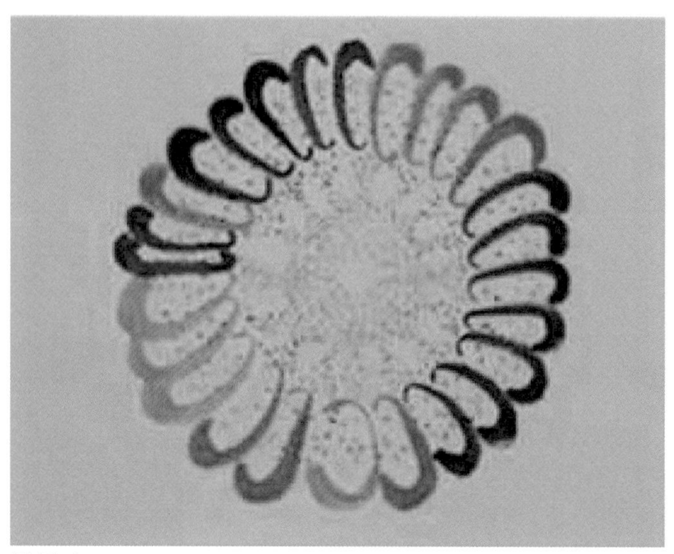
작품 6

〈작품 6〉은 삶이란?을 되뇌이며 점을 찍은 마음 다지기 작품입니다. 제목은 삶을 이루는 의외성, 반복성, 연속성입니다. 삶에 대한 의미를 새롭게 느끼게 하는 작품입니다.

콩으로 만드는 나만의 패턴

콩 그림은 다양한 모양의 콩을 점 찍듯이 한 알, 한 알 도화지나 캔버스에 붙이는 마음 다지기 작업입니다. 콩을 풀로 붙일 때마다 단어 혹은 문장을 반복합니다. 콩은 다섯 종류 정도를 준비해 크기나 색깔, 모양따라 골고루 사용합니다. 도안이나 밑그림은 없습니다. 펜과 ●, ▲, ■ 대신 풀과 콩을 써서 하는 마음다지기입니다.

콩은 자연에서 나고 자란 열매입니다. 같은 품종이라도 약간씩 크기, 색깔이 다릅니다. 햇볕과 바람, 영양분이 콩알 하나하나에 조금씩 다르게 닿았기 때문입니다. 콩을 종이에 붙여나가면서 작은 콩알에도 위아래, 앞뒤가 있음을 알 수 있습니다. 콩알 하나하나가 달리 생겼듯, 우리 마음도 하나하나 다르며 있는 그대로 인정해야 함을 체험합니다.

콩으로 패턴을 그리는 마음다지기는 재료가 주는 특성에 따라 삶을 배우는 마음입니다. 나와 남 모두를 있는 그대로 인정하는 연습은 공감, 소통을 위한 노력입니다.

콩으로 나만의 패턴을 만드는 모습입니다. 아무런 도안이나 밑그림 없이 붙이고 싶은 곳에 콩 한 알을 붙이는 첫 시작을 많이들 주저합니다. 하지만 곧 작업에 집중하며 주위를 의식하지 않고 마음껏 표현하는 시간을 즐기게 됩니다.

사랑스런 종애언니♡
건강하세요♡.

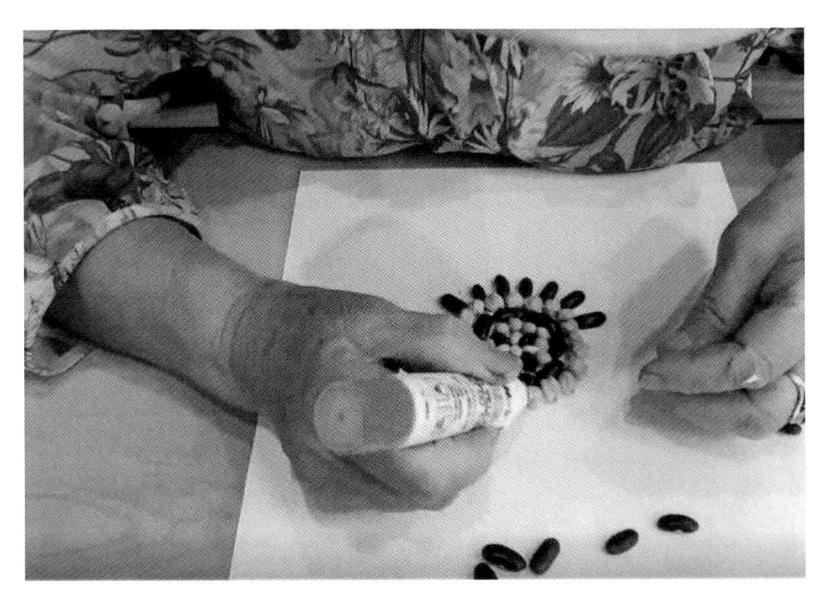

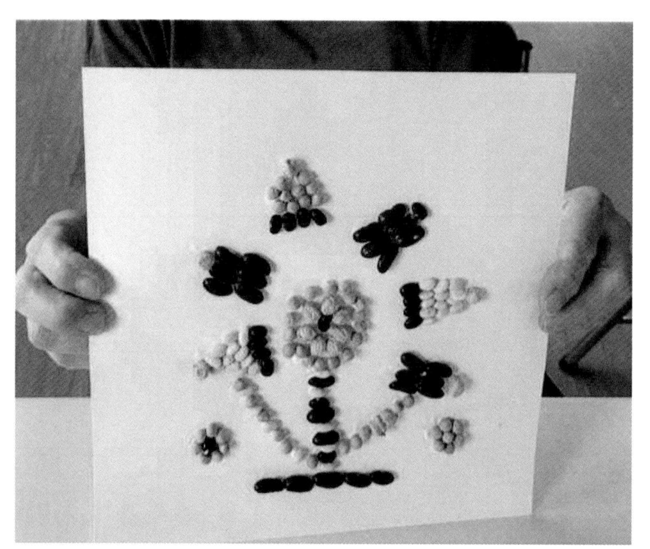

작품 5

작품 6

〈작품 5〉 작가는 지금 너무 힘들다고, 가족이 다 정말 힘들다며, 이제 그만 행복하게 살았으면 좋겠다고 합니다. 작업을 하는 동안 잠시 평화롭게 쉬며 위로받는 모습입니다.

〈작품 6〉 작가는 다 감사하다고 친구들도 감사하고, 선생님도 감사하고, 다 감사하다고 합니다. 작품에 감사함을 듬뿍 담은 기쁜 마음이 펴져나갑니다.

수용은 아름다운 치유입니다.

내가 나를 수용하고 응원합시다.

6 마음 거닐기

손 가는 대로 마음 가는 대로 거닐기

마음 다지기가 반복을 통해 마음을 알아가는 과정이라면 마음거닐기는 자유로운 마음을 회복하고 편안하게 마음이 가는 대로 손이 따라가며 내면에 귀를 기울이는 과정입니다. 지혜로운 선택이 필요한 순간 마음이 쉬는 자리에서 답을 기다리는 연습입니다.

마음 거닐기는 종이에 펜을 대면서 시작합니다. 점, 선, 면, 색을 선택하며 종이를 채워갑니다. 낙서도 좋습니다. 손이 가는 대로 끄적이며 종이를 채우다 잠시 스치는 생각이나 감정이 있으면 글로 적고 다시 점이나 도형, 공간에 집중합니다. 그림 시작 전, 스스로 질문을 던진 후 손과 눈에 집중해서 작업을 진행합니다. 충분히 그렸다고 판단하면 끝냅니다. **점 하나가 시작이자 끝이 될 수 있습니다.**

보이는 대상 너머를 보는 직관 능력은 빠른 속도로 지식이나 관념을 파악합니다. 마음 거닐기는 스치고 지나가는 직관을 생각이나 느낌처럼 알아차리게 합니다. 직관 능력은 감수성과 예술성을 풍요롭게 성장시킵니다. 마음 다지기와 마음 거닐기는 많은 조건을 몇 가지 원칙으로 줄여 나가며 단순화하는 과정이기도 합니다. 숨쉬기로 편안함을 유지하고 하나의 주제를 반복하며 마음은 명료해집니다. 표면에 보이지 않는 속성을 찾게 됩니다.

내면에서 울리는 소리, 느낌에 주의를 기울이는 연습이 곧 명상이기도 합니다. 마음 다지기는 명상 상태에서 직관을 하며 통찰을 할 수 있는 힘을 키우는 과정입니다. 나는 누구인가, 마음이란 무엇일까, 의식은 인간에게 어떤 의미인가, 존재는 어떻게 생겨났는가에 관해 나만의 답을 찾고 싶을 때 통찰력이 필요합니다.

뿐만 아니라 일상생활에서 선택이 필요한 순간이나 새로운 아니디어가 필요한 때, 이미 알고 있는 생각 너머에 있는 깊고 새로운 무엇인가를 찾아야 할 때 직관과 통찰의 힘은 요긴합니다.

명상 수행에서 통찰력이 생기는 연습은 노력을 많이 필요로 합니다. 집중과 이완을 반복하는 마음 거닐기는 고요함과 하나되어 자신의 내면과 상황을 함께 느끼며 주의를 기울이는 순간을 지속시킵니다. 마음 거닐기를 통해 자의식을 벗어나 의도나 판단 없이 존재 전체와 연결된 나를 느끼는 자유로운 현재에 살 수 있기 때문입니다.

종이에 글씨를 쓸 때 쓰여지는 글자 모양을 쓰여진 후에 바라보듯, 손이 그리는 선을 마음이 따라가며 스치듯 생각나는 단어를 판단 없이 인지합니다. 매 순간 온전하게 존재하는 우주를 마음으로 한계 두지 않고 그대로 맞이하는 기쁨을 마음 거닐기를 하는 동안 느낄 수 있습니다. 온전한 나와 일치하는 순간으로, 진정 살아있는 시간입니다.

작품 1

〈작품 1〉 작가는 진행하는 일이 나아갈 방향이 보이지 않아 답답할 때 점을 찍으며 오로지 형태와 색상을 선택하고 공간을 채웠다고 합니다.

완성 후 처음을 기억하자는 생각이 문득 떠오르며 일을 시작할 때 마음가짐과 상황이 기억났다고 합니다. 편안함이 오며 답답했던 마음은 사라졌다고 합니다.

〈작품 2〉는 작가가 쉬고 싶은 날, 마음이 산만해서 시작했다고 합니다. 해야 할 일은 많은데 손에 잡기 싫고, 별 소득이 없

작품 2

을 일이라는 생각으로 답답했습니다. 그만두고 싶으나 당분간은 어쩔 수 없이 해야 하는 일이고, 하루라도 푹 쉬고 싶으나 그럴 여유가 없었답니다.

일단 종이 위에 펜을 잡고 손이 만드는 형태를 따라갔고, 겸손을 배우는 시기라는 말이 떠올랐습니다. 겸손을 놓치고 살아왔음을 느끼는 순간 스스로에게 위로받았다고 합니다.

우리 안에 깊숙이 눌려 있던 갈등이 풀릴 때 우리 마음은 쉼을 누립니다. 마음 거닐기는 갈등하는 산만한 마음을 쉬게 합니다.

규칙적인 패턴을 넘어 자유 추상으로

몸과 마음은 점을 찍기 위해 손끝에 힘을 모으는 순간 집중하고, 종이에서 펜을 떼는 순간 이완합니다. 숨쉬기는 마음 거닐기를 진행하며 자연스럽게 편안해집니다. 마음 거닐기는 계획이나 다른 생각 없이 점과 ●, ▲, ■로 공간을 채우며 규칙적으로 반복합니다. 패턴이 보이기 시작하면, 새로운 패턴이 완성되는 한 단계, 한 단계를 즐겁게 진행합니다.

패턴이 보이지 않는 경우도 당연히 있습니다. 곡선으로 손이 움직이면 곡선을, 면을 만들고 색을 칠하고 싶으면 채색을 하면서 마음 다지기나 마음 거닐기를 진행합니다.

편안한 숨쉬기와 단순한 동작을 반복하는 동안 마음에 평화가 찾아옵니다. 스스로에게 던진 질문은 자신을 위로하고, 함께 시간과 공간을 공유하는 이들에게 위로를 전할 수 있는 여유를 줍니다. 내면에서 스치듯 떠오르는 느낌을 알아차리는 과정에서 핵심을 찾아내는 추상 능력과 겉으로 보이지 않는 이면을 아는 직관 능력이 성장합니다. 마음이 쉬는 자리는 시간과 공간을 초월하여 무의식을 공유하고 인지할 수 있는 고요한 자리이기 때문입니다.

작품 3

자신을 칭찬하는 마음 다지기를 진행하며 〈작품 3〉 작가는 어릴 때 친구들과 잘 어울리며 사이좋게 놀고 어른이 돼서도 물 흐르듯 잘 살았다며 화사하게 웃습니다.

풍경화인 듯, 어린 시절 즐거운 하루를 콩 그림으로 표현했습니다. 강처럼 유유히 흐르며 친구와 어울리던 한 시절을 품은 곡선이 멋진 작품입니다.

작품 4

〈작품 4〉는 친구에게 감사함을 전하는 콩 그림이 별꽃이 되었다는 작품입니다. 감수성이 살아있는 별꽃이라는 표현을 하며 작가는 기뻐합니다.

감사함을 담아 콩알을 하나씩 붙이려면, 콩을 고를 때부터 정성이 들어갑니다.

작품 속 꽃은 별처럼 빛나고, 작품을 완성하며 얻는 평화와 기쁨으로 친구에게 고마운 마음은 더 커집니다.

작품 5

〈작품 5〉는 힘든 시간을 견뎌낸 수고로움과 아직 남아있는 시간에 대한 결연한 의지가 보는 이의 가슴을 아프게 하는 작품입니다.

혈관의 중요성을 체험한 작가는 죽을 때까지 자신을 사랑하고 인내하며 배려, 봉사하는 인생을 살고 싶다고 합니다. 숨 한 번 쉬며, 점 하나 그리며 큰 위로를 받았습니다.

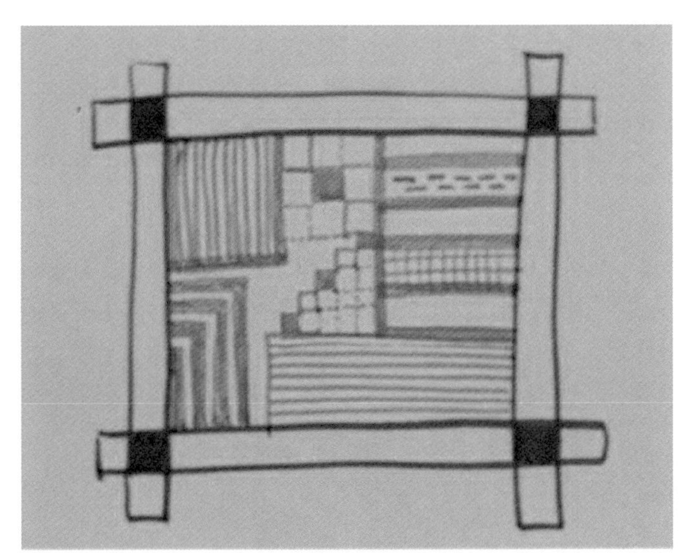
작품 6

〈작품 6〉의 제목은 스스로 만드는 삶입니다. 작가는 직선을 쌓아 형태를 만들면서 어린 시절 하루 한 번은 했던 낙서가 생각났습니다. 작고 반듯하게, 아주 소심하게 낙서를 했습니다.

지금 자신은 스스로 선택한 결과이며, 의미 있는 삶은 스스로 만들어 가는 길이라고 작가는 말합니다.

마음이 쉬는 자리

그림을 그릴 때 바탕이 되는 흰 도화지처럼 분주한 마음이 시작된 텅 빈 고요함이 마음이 쉬는 자리입니다.

갓 볶은 신선한 원두 커피향을 깊게 맡으려는 순간 마음은 온통 후각에만 집중합니다. 짧은 순간 책상에 쌓인 일이나 해결해야 하는 문제를 잊고. 분주한 마음이 잠시 쉬는 순간입니다.

흰 바탕 같은 마음이 되려면 덜어내야 하는 마음은 한두 가지가 아닙니다. 어제 사려다가 장바구니에 담아 놓은 신발부터 3개월 뒤 이사를 위해 찾은 정보 등. 1년 전 도움을 준 친구와의 기억, 10년 전 맛있게 먹은 음식과 함께 있던 사람들, 싸우고 화해하지 못한 채 멀어진 지인까지. 마음은 과거에 있던 장면을 포함하여 미래로 이어지는 내가 만든 이야기입니다.

바탕을 채우고 있는 마음을 찾으려면 내가 누구인지, 나를 알아야 합니다. 1년 전 나도 나이고, 10년 전 나도, 태어나자마자 아기인 나, 지금부터 1년 뒤의 나, 10년 후의 내가 모두 나입니다.

아기 이전 나는 없나요? 아버지와 어머니의 몸 안에, 할머니, 할아버지, 그 이전 할아버지와 할머니까지 나를 만들고 있습니다. 죽은 후 나는, 내 마음은 어떻게, 어디에 있을까요?

과거의 나, 미래의 나를 합친 나는 우주의 일부임이 분명합니다.

어제 아침에 먹은 누룽지와 사과는 내 몸에 들어온 순간부터 내가 되었습니다. 어제 먹은 사과는 땅에 뿌리를 내린 나무에서 물과 햇빛, 바람으로 컸습니다. 내 몸에 사과나무가 흡수한 물도 들어왔습니다. 사과를 키운 물은 어디서 왔을까요? 어제 차를 타고 거리를 지나갔습니다. 지나가며 본 거리 모습도 내 기억에 있으니 나의 일부, 나입니다. 거리 모습은 어디에서 왔을까요?

우주가 나를 구성하고 있습니다. 우주에는 어제 나의 슬픔, 10년 전 나의 기쁨, 100년 후 나의 죽음이 다 있으니까요.

우주는 과거에는 불완전했고 미래에는 완전할 거라고 이야기할 수 없습니다. 우주는 매 순간 온전하게 존재합니다. 어느 한 순간도 다른 순간을 위한 준비 과정이나 수단으로 평가할 수 없습니다. 모든 순간이 단 한 번, 유일한 순간입니다. 눈 앞에 펼쳐진 시간이 죽음을 향해 가는 과정이라면 삶이 숙제가 됩니다. 인간은 삶을 숙제가 아닌 선물로 받을 수 있는 의식이 있습니다.

텅 빈 바탕에서 온전한 우주를 의식하는 순간, 우주가 나를 만들고 있다고 느끼는 순간, 개체로 살아오며 겪어온 외로움과 두려움이 사라집니다. 현실을 바라보는 관점이 달라집니다. 슬픔에 무너지지 않고 평화로 향하는 길을 찾습니다. 위로하는 방법을 찾습니다. 무엇보다 고요하고 따뜻한 마음에서 생각하고 판단합니다.

마음이 쉬는 자리에서 내가 누구인지, 우주와 나는 무슨 관계인지 자유로운 현재를 사는 느낌이 어떤지를 스스로 묻고 답을 찾을 수 있습니다.

7 오감을 깨우는 명상

감각을 여는 11가지 방법

오감을 깨우는 명상은 일상에서 시각, 청각, 미각, 후각, 촉각을 활용하여 마음을 집중하고 이완하는 방법입니다.

하나의 대상에 집중하여 듣고 보다가 그 대상이 사라지는 순간, 감각이 열리며 생각, 감정, 욕구가 잠시 멈추는 쉼이 찾아옵니다. 마음이 쉴 때 오감이 깨어나며 감수성도 살아납니다.

1. 종소리

-눈을 감고 조용한 공간에서 여운이 긴 종을 울립니다.

-종소리에 집중하여 여운을 끝까지 따라갑니다, 처음에는 귀로, 다음에는 가슴으로.

한밤중처럼 조용한 곳은 작은 소리도 잘 들립니다. 청각을 활용한 종소리 듣기는 아주 작은 소리까지 놓치지 않고 들을 만큼 청각이 깨어나며, 산만한 마음이 고요해지는 효과가 있습니다.

2. 물소리

계곡물 흐르는 소리를 듣는 명상은 화창한 날씨에 계곡에서 진행하면 좋습니다.

-계곡 주변에 편안하게 앉아 물이 부딪치고 흐르며 만드는 소리에 집중합니다.

-눈을 감고 청각만 열어 놓습니다.

계곡을 채우는 새소리, 바람소리까지 자세하게 들리며 일상에서 쌓아 둔 생각이나 감정, 욕구는 서서히 가라앉습니다. 어느 순간 물소리가 멈춘 듯 고요한 순간이 옵니다.

3. 파도

-파도가 먼 바다에서 일 때부터 모래사장에 닿거나 바위에 부딪쳐 사라질 때까지 바라봅니다.

-다시 먼 곳으로부터 다가오는 잔물결이 높아졌다가 사라지는 모습을 반복하여 봅니다.

-충분히 잡념이 없어지면 바다 전체를 초점 없이 넓은 시야로 바라봅니다.

-몸과 마음에서 힘을 뺀 이완 상태에서 바라보는 깊은 바다를 느껴봅니다.

오랫동안 고민하는 일이 풀리며 해결책이 떠오르기도 하고 시적 감성이 느껴지기도 합니다. 작은 일에 일희일비하는 마음에서 벗어나 넓고 높은 곳에서 자신을 바라보며 몸과 마음의 휴식을 맛볼 수 있습니다.

4. 구름

-편안한 자세로 깊은 호흡을 합니다.

-먼 구름 하나를 정하고 움직이며 흩어지고 모이는 모습을 눈으로 따라갑니다.
-초점 없이 하늘 전체를 시야에 담고 바라보는 연습과 번갈아 가며 진행합니다.
 구름은 한 자리에 머무르지 않습니다. 시각이 확장되며 다양한 구름 모양이 눈에 들어오고 바람이 움직이는 모습을 볼 수 있습니다. 마음이 맑아집니다.

5. 향
-향을 피우고 향 끝에서 피어나는 연기를 눈으로 따라갑니다. 온도가 낮은 곳에서 끓는 물이 뿜는 수증기를 집중하여 바라보는 연습도 같은 효과가 있습니다.
-한 곳에서 시작된 연기나 수증기가 공간에 흩어지는 과정에 집중합니다. 한 줄기 연기가 떠오르며 퍼지다가 점점 희미해지는 모습을 눈으로 마음으로 따라갑니다.
시각과 후각, 혹은 시각과 촉각을 함께 활용하여 공감각을 확장하는 명상입니다.

6. 물
 물은 상온에서 갑자기 100도가 되지 않고 기포도 생기지 않습니다. 가열 후 80도쯤 될 때 작은 기포가 바닥에서 올라오다 점점 기포도 커집니다. 100도에 다다르기 전 기포는 기둥을 만들며 계속 솟아오르고 100도를 넘어서는 순간 폭발하듯 터집니다.

물 끓는 과정을 바라보면 시각과 더불어 청각도 섬세하게 열립니다. 일상생활에서 시각, 청각을 집중하여 마음을 가라앉히는 명상입니다.

7. 차

차 한 모금 천천히 마시는 차 명상은 차를 마시며 내면에서 일어나는 느낌에 집중합니다.

찻잔을 잡는 손이 감지하는 따뜻한 촉각, 한 모금을 입에 머금고 있을 때 혀가 느끼는 미각과 차향이 주는 후각, 뜨거운 찻물에서 피어나는 수증기를 보며 시각까지, 오감이 열리는 과정을 꼼꼼하게 자각하며 차 한 모금을 천천히 마십니다.

차가 입에서 식도를 타고 내려가는 느낌과 입 안에 침이 고이는 등 몸이 반응하는 변화까지 느껴봅니다.

8. 눈이나 비

눈이나 비를 시선으로 따라가면 촉각과 시각, 청각까지 공감각을 깨우는 효과가 있습니다.

2층 높이에서 눈이나 비를 따라 넓고 낮게 시야를 확장합니다. 새로운 감수성을 찾는 명상입니다.

9. 과일

눈 감고 과일 향을 맡는 명상은 호흡을 통해 한 가지 주제에 집중하는 방법 중 하나입니다.

과일을 잡을 때 껍질에서 느껴지는 촉감을 충분히 살피고 향을 맡으며 후각에 집중합니다. 향을 더 풍요롭게 느끼기 위한 집중을 통해 잡념은 가라앉습니다.

10. 공기

손으로 공기 무게를 느끼는 두 가지 방법 모두 촉각을 확장시킵니다.

-힘을 뺀 손목을 여러 번 흔들다가 멈추고 손끝에서 느껴지는 촉각에 집중합니다. 손끝에 닿는 공기의 무게를 느껴봅니다.

-두 손바닥을 10cm쯤 벌려 마주하고 벌렸다 좁혔다를 반복합니다. 마주한 손바닥 사이에서 느껴지는 온기가 손바닥이 멀어져도 느껴집니다.

11. 동작

스트레칭과 심호흡으로 몸과 마음을 쉬게 한 뒤 리듬에 따라 몸을 움직이는 명상도 있습니다.

가사가 없는 연주곡을 편안한 상태로 듣다가 충분히 음악에 젖어

들면 몸을 조금씩 움직이며 몸으로 리듬을 따라갑니다. 리듬에 따라 몸이 빠르게 혹은 느리게, 넓게 좁게 움직이며 몸과 마음을 이완하는 명상입니다.

따뜻한 봄 햇살로 온몸을 채우는 심상화

심상화는 마음으로 그리는 그림입니다. 그림을 그리거나 사진을 보듯이 글에 담긴 내용을 가슴에 자세하고 생생하게 상상합니다. 이완 명상과 회상을 할 때 심상화는 몸과 마음을 깨우고 현재를 느낄 수 있도록 합니다.

심상화가 익숙해지면, 가장 편안한 곳에서 쉬고 있는 자신을 상상하거나 보고 싶은 풍경을 생생하게 떠올리며 몸과 마음을 쉴 수 있습니다. 시험 시작 전, 혹은 중요한 일을 앞두고 심상화를 활용하면 몸과 마음을 안정시키는 데 도움이 됩니다.

이완 명상의 경우 종을 울리며 심상화를 하면 더 생생하게 몸을 느낄 수 있습니다.

따뜻한 봄 햇살로 온몸을 채우는 심상화는 몸에 대한 의미를 새롭게 찾아 감사한 마음으로 몸을 바라보며 몸에 쌓인 긴장을 푸는 이완 명상입니다.

평소 잠들기 전에 발끝에서부터 머리까지 마음을 옮겨가면서 이완을 하면 건강과 숙면에 많은 도움이 됩니다.

종소리의 울림을 가슴으로 느낍니다.

〈종소리〉

가장 편안한 장소에 누워 있다고 상상합니다.

꽁꽁 언 땅을 녹이는 봄 햇살이,

아지랑이를 피어오르게 하는 부드러운 봄 햇살이 발끝에 닿습니다.

발끝에 부드럽고 편안한 기운이 돕니다.

발가락 하나하나에 따뜻하고 부드러운 기운이 감쌉니다.

발바닥을 떠올립니다.

반가운 사람을 만났을 때는 저절로 손을 맞잡게 되고 부둥켜안게 됩니다. 사랑하는 사람과 행복했던 장면, 즐거웠던 장면, 자랑스러웠던 자리에 서 있던 발바닥입니다.

편안함과 즐거움이 발끝에서 발바닥으로 발목으로 퍼져갑니다.

〈종소리〉

이제 무릎을 마음에 담습니다.

처음 일어섰을 때 기쁨을 무릎은 기억합니다.

무릎이 자기 역할을 충실하게 다했을 때 기쁨을 느껴봅니다.

그때의 기쁨과 반가움이 무릎에 활력을 줍니다.

따뜻하고 부드러운 봄바람이 고요한 햇살과 함께 무릎에 닿습니다.

무릎 관절 사이, 세포 하나하나에 태양의 생명력이, 봄바람의 부드러움이 스며듭니다.

그 편안함을, 기쁨을 느껴봅니다.

편안하고 기쁜 마음은 내 무릎의 긴장과 슬픔을 다 잊게 하고 즐거움으로 가득 채워줍니다.

〈종소리〉

마음을 골반으로 옮겨옵니다.
좌우균형을 잃었던 골반이 다시 활력을 찾습니다.
아지랑이가 피어오르듯 봄햇살의 따뜻한 기운은 굳어있는 골반 구석구석을 어루만집니다.
골반이 편안해 합니다.
굳어진 척추 마디 마디를 떠올립니다.
〈종소리〉
꼬리뼈로 옮겨갑니다.
꼬리뼈의 생명력은 엄마 뱃속에서 수정란으로 생겼을 때부터 주어졌습니다.
그 꼬리뼈에는 내가 태어나기 이전의 기억도 담겨 있습니다.
이제 그 꼬리뼈가 끝에서부터 마디 마디 편안하고 부드러운 상태로 태초의 생명력을 찾습니다.
천천히 마음으로 짚어 가면서 고맙다, 고맙다, 그 생명력이 참 고맙다 합니다.
편안하고 즐거울 때 우리 척추는 그 즐거움을 함께 했습니다.
장부와 연결된 척추 신경이 사랑의 기억으로 생명력을 되찾습니다.
〈종소리〉
가슴 뒤쪽의 흉추 한 마디, 한 마디도 짚어가며 마음으로 사랑한다, 사랑한다고 하십시오.
목을 이루는 경추 한 마디, 한 마디까지 처음 생명을 가졌을 때의 생명력으로 다시 채워집니다.

사랑하고 기뻐하는 마음에서 우리 몸은 태초의 생명력을 회복합니다.

종소리의 여운이 주는 편안함이 척추 마디 마디를 채웁니다.

〈종소리〉

가슴에, 마음에 의식을 집중합니다.

가장 편안한 장소, 가장 편안했던 사람을 떠올립니다.

기쁘고 행복했던 일도 떠올립니다.

아름다운 풍경 속에서 그 풍경을 함께 얘기했던 기억도 있고, 노래를 부르며 즐거웠던 기억도 있습니다.

남에게 도움을 준 일, 보람을 느낀 장면도 있습니다.

그 기쁜 마음이 봄바람처럼 부드럽게 가슴을 채웁니다.

〈종소리〉

어깨에 의식을 집중합니다.

우리 모두는 자신만의 재능이 있습니다.

이 정도는 잘하지, 하는 자부심이 있습니다.

우리 생명이 갖고 있는 자긍심으로 어깨를 폅니다.

굽은 어깨를 이제 편안한 자긍심으로, 우리 생명의 존엄함으로 폅니다.

어깨에서부터 목, 허리, 골반, 다리, 발끝까지 가슴의 즐거움이 퍼져갑니다.

〈종소리〉

마음을 팔꿈치로 옮깁니다.

팔꿈치, 손목, 엄지손가락, 둘째손가락, 셋째 손가락, 넷째 손가락, 다섯 번째 손가락 끝까지 뿌듯한 기쁨이 닿습니다.

우리는 팔과 손으로 기쁨의 포옹을 하고 예쁜 아기를 안으며 반가운 악수를 나눕니다.

사랑의 글도 쓰고, 슬픈 이를 위로합니다.

기쁨과 자긍심을 주는 어깨, 팔꿈치, 손목, 손가락까지 따뜻한 부드러움이 가득 찹니다.

〈종소리〉

꿈속의 즐거운 마음은 우리를 행복하게 합니다.

꿈결처럼 온몸에 즐거움이 번집니다.

편안함이 가득 찹니다.

그 즐거움과 편안함이 목 근육 하나하나를 지나 턱에 닿습니다.

어금니부터 송곳니를 지나 앞니까지, 또 잇몸과 혀에도 편안한 즐거움이 가득합니다.

우리는 입을 통해 의사를 표현하고, 사랑하는 말, 기쁨의 말, 위로의 말을 합니다.

맛있는 음식도 먹습니다.

〈종소리〉

이제 편안하고 즐거운 기운은 코와 눈, 이마와 머리를 가득 채웁니다.

몸과 마음이 완전히 하나가 되어 쉬는 상태에서는 생각과 감정이 고요하고 편안합니다.

종소리의 여운을 가슴으로 따라갑니다.

〈종소리〉

종소리와 함께 발끝부터 머리까지 편안하고 즐거움 속에서 우리의 몸은 태초의 생명력을 찾으며 건강해집니다.

발가락

발목

무릎

골반

허리

배

가슴

어깨

팔꿈치

손목

손가락

목

입

코

눈

머리

〈종소리〉

마음으로 온몸에 닿는 따뜻하고 부드러운 봄 햇살을 느낍니다.

시원한 바람으로 몸과 마음을 정화하는 심상화

인간관계에서 쌓인 묵은 감정을 씻으며 마음과 몸을 동시에 이완하는 명상입니다.

바람은 자연을 정화합니다.
태풍이 지나간 후 하늘은 맑고 공기는 청량해집니다.
바람이 자연의 먼지를 털어내듯 우리들 몸과 마음에
오랫동안 쌓여 굳어진 먼지 뭉치들을 털어내는 시간입니다.
시원한 바람이 머리부터 발끝까지
몸 구석구석을 깨끗하게 털어내며 몸과 마음은 정화됩니다.
〈종소리〉
지금 나는 시원한 바람이 부는 바닷가에 서 있다고 상상합니다.
아름다운 바다의 풍경을 떠올립니다.
먼 바다에는 고깃배가 떠 있고 수평선이 펼쳐져 있습니다.
파도가 밀려왔다가 사라지는 모래사장이 발 아래 있습니다.
손가락을 펴서 수평선 너머부터 시작한 바람을 손끝으로 느낍니다.
시원한 바람이 머릿결을 스칩니다.
〈종소리〉
머리카락 사이로 바람을 느끼며 지금까지 담아두었던 걱정거리나 고민을 바람에 실어 보냅니다.

살면서 갖게 되는 고민과 걱정은 우리의 삶을 깊이 있게 만드는 재료입니다.

우리는 멀리 바라보지 못하고 눈앞의 고민에 빠져 힘들어합니다.

걱정은 희망 없는 미래를 만듭니다.

이제 모든 고민과 걱정을 바람에 실어 보냅니다.

바람이 얼굴을 스치며 머릿속 걱정거리를 씻어줍니다.

머리가 맑아집니다.

환해집니다.

〈종소리〉

바람이 목과 어깨를 어루만지며 집착을 놓으라 합니다.

이것만은 꼭 이루어야 한다, 이 정도는 되어야 한다는 기준이 집착입니다.

마음 저 속에 갖고 있는 기준은, 집착은 어떤 것입니까?

〈종소리〉

시원한 바람이, 목과 어깨의 집착을 실어 가면서 목과 어깨의 긴장도 사라집니다.

어깨가 텅 빈 듯이 가뿐합니다.

집착은 마음을 구속합니다.

몸에 대한 집착은 육체의 건강만을 추구하며 하루하루를 살게 하고, 사람에 대한 집착은 상대를 완전한 내 사람으로 구속하는 잘

못된 생각으로 삶을 채우게 합니다.
몸이나 일에 대한 집착, 또 배우자 혹은 자식에 대한 집착을 깨닫는 일은 더 깊이 사랑하게 합니다.
가슴 속 깊이 자리 잡은 오래된 습관, 무거운 마음을 찾아냅니다.
〈종소리〉
집착은 상대는 물론 우리 스스로를 구속합니다.
무거운 쇠사슬에 묶인 것처럼 마음을 한 곳에, 하나의 대상에 머물게 합니다.
가장 큰 애착을 느끼는 대상을 찾아봅니다.
명예, 돈, 가족, 취미생활, 건강 혹은 안정된 직장, 소속감 등이
우리가 지니는 집착의 대상들입니다.
어디에 마음이 묶였는지 알아낼 때
우리의 몸과 마음 모두 자유로워지고 본래의 힘을 발휘합니다.
〈종소리〉
이제 바다 저편에서 시원한 바람이 불어옵니다.
그 시원한 바람으로 가슴을 씻어줍니다.
가슴을 무겁게 하던 집착이 바람에 실려 날아갑니다.
〈종소리〉
팔과 손에 바람이 닿습니다.
삶은 관계의 연속입니다.
부모님과의 관계와 형제 관계, 친구 관계를 살펴봅니다.

어린 시절 관계 맺기에서 시작된 삶의 방식들이 현재 나의 기준, 애착을 만들었습니다.
사랑을 많이 받고 감정을 표현하는 몸짓이나 손짓에 익숙한 어린 아이는 어른이 되어서도 상대를 배려할 줄 아는 다정한 손을 갖습니다.
부모님과의 관계를 떠올립니다.
어떤 감정으로 부모님을 대했는지
지금까지도 그 감정으로 인해 갈등을 겪고 있는지 돌아봅니다.
〈종소리〉
형제들과의 관계를 찾아갑니다.
서로 이해하지 못하고 원망했던 아쉬운 마음을 확인합니다.
무엇 때문에 서로를 탓하게 되었는지 찾아봅니다.
〈종소리〉
친구들과의 관계를 돌아봅니다.
어떤 사건 때문에 이해관계와 오해가 생겼는지 살펴봅니다.
〈종소리〉
배우자와의 관계도 돌아봅니다.
넘치는 것과 부족한 것들이 무엇이었는지 돌아보고
서로를 너무 당연하게 여긴 나머지 상대를 배려하지 않았던 일도 찾아봅니다.
〈종소리〉

관계 속에서 채워지지 않아 힘들었던 마음을, 부족하기에 더욱 갈구했던 마음을 손에 닿는 바람이 씻어냅니다.
무거운 마음이 떨어져 나간 두 팔과 두 손은 바람에 날리는 깃털처럼 가벼워집니다.
〈종소리〉
우리의 몸을 무겁게 하던 집착과 기준, 관계 속에서의 아픔을 씻어내며 바람은 우리의 몸을 통과합니다.
우리 몸은 그대로 바람이 되어 아름다운 풍경 속으로 들어갑니다.
〈종소리〉
고여 있는 물이 오염되듯 굳어진 마음은 주변과의 관계를 제한합니다.
우리의 허리는 묶여 있는 관계 속에서 무뎌지고 굳습니다.
머리, 목, 어깨, 가슴, 팔을 통과한 바람이
이제 허리의 굳어진 근육을 풀어줍니다.
허리의 긴장이 풀리니 온몸이 편안해집니다.
〈종소리〉
우리의 다리는 발바닥과 함께, 그림자와 연결됩니다.
그림자는 햇빛이 강할수록, 크기는 작아지지만, 모습은 진해집니다.
싫어하는 모습과 태도가 그림자입니다.

타인의 모습에서 보기 싫은 태도는
나의 표면 의식이 억누르고 있는 억압되고 왜곡된 무의식의 내 모습입니다.
억압된 무의식은 지금까지 살면서 한 번도 인정하지 않았던 나의 숨겨진 마음 한 부분입니다.
인정할 만한 상대나 칭찬받는 자신을 인정하는 일은 누구나 할 수 있습니다.
인정하기 힘든 상대를 받아들이고
싫어하는 나의 특성도 나 자신이라고 인정하는 마음이
나와 상대를 자유롭게 합니다.
〈종소리〉
각자의 그림자를 돌아봅니다.
그림자가 무엇인지 확인하는 용기를 내는 순간,
우리의 다리를 붙잡았던 벗어나기 힘들었던 열등감으로부터 자유로워집니다.
〈종소리〉
머리, 어깨, 가슴, 팔, 허리를 맑게 비운 시원한 바람이
다리, 발 역시 개운하게 씻어줍니다.
불어온 바람이 우리 몸을 구석구석 씻어내며
몸 전체를 통과합니다.
우리는 그대로 바람이 되어 자연 그 자체가 됩니다.

삶에 대한 시야를 확장하는 심상화

스스로 삶을 돌아보며 자신과 함께 삶의 장면 장면을 만들어 온 사람들을 평온한 마음으로 보게 하는 심상화입니다.

고요함에서 소리가 시작되듯, 우리가 경험하는 생각, 감정, 사건들의 바탕에는 고요함이 있습니다.
우리의 고요함을 흔드는 기억을 하나하나 돌아보는 과정이 회상입니다.
마음의 세계는 상상의 세계입니다.
지금 나는 내 생애가 담긴 영화가 상영되는 극장에 앉아 있습니다. 관객이 되어서 지금까지 내가 살아온 인생을 바라봅니다.
이제 나의 영화가 엄마 뱃속 시절부터 시작됩니다.
한없이 자유로운 마음은 내 기억의 창고 속을 어디든 갈 수 있습니다.
이제 엄마 뱃속에서 잠자고 있는 나로 돌아갑니다.
태초의 나, 그 속에서 온전히 보호받는 나를 느낍니다.
따뜻하고 부드러운 양수 속에서 편안히
자다가 문득 소리가 나서 잠에서 깹니다.
오늘은 엄마가 시장에 갔나 봅니다.
사람들이 웅성거리는 소리가 시끄럽습니다.

엄마의 양수 속에서 떠 있는 모습을 상상합니다.

나는 잠들어 있습니다.

나는 그 속에서 편안하게 자고 있습니다.

너무도 편안합니다.

문득 소리가 나서 잠에서 깨어납니다.

사람들이 웅성거리는 소리가 시끄럽습니다.

아득하게 시끄러운 소리들이 멀어져 갑니다.

엄마의 웃음소리가 들려옵니다.

엄마는 기분이 좋습니다.

한껏 기지개를 켜봅니다.

나도 행복합니다.

갑자기 큰 소리가 들립니다.

엄마가 화가 났습니다.

심장 소리가 점점 커집니다.

거친 바람 소리가 들려옵니다.

불안한 마음으로 잠이 듭니다.

이제 나는 많이 자랐습니다.

세상으로 나갈 때입니다.

편안한 방에서 좁은 굴속으로 밀려 내려옵니다.

한참을 애쓰다가 밖으로 나옵니다.

큰 소리로 울고 있습니다.

나를 열 달 동안 품었다가 낳아주신 어머니의 마음을 잠시 느껴봅니다.

한 살 입니다.

기어 다니는 나를 봅니다.

기분이 좋습니다.

기저귀도 갈고 목욕도 합니다.

안아주고 토닥이는 어머니의 손길을 느낍니다.

오늘은 아무도 관심을 보이지 않습니다.

집안일로 어른들은 모두 바쁩니다.

심심한 하루입니다.

두 살 입니다.

몇 번 넘어지고 부딪히면서 걸음마를 배웁니다.

한 발, 두 발, 세 발…… 발을 뗄 때마다 어른들이 장하다고 기뻐하며 박수치고 즐거워합니다.

아장아장 걷는 나를 기쁘게 바라보던 어른들의 마음을 헤아려봅니다.

이제 종소리의 끝을 따라 기억 속에 남아있는 가장 어린 시절의 기억을 떠올립니다.

〈종소리〉

첫 기억 속에 있는 사람들과의 관계를, 그때 상황을 바라봅니다.

첫 기억의 감정을 관객이 되어 바라봅니다.
나는 동네아이들과 뛰어다니며 즐겁게 노는 대여섯 살 아이입니다.
가장 친한 친구와 싫어했던 친구를 찾아봅니다.
칭찬을 받기도 하고, 야단을 맞는 날도 있습니다.
어린 내가 가졌던 좋고 싫은 기준들을 찾아봅니다.
좋고 싫은 기준은 그저 한순간의 감정입니다.
그때의 감정을 마음에서 내려놓습니다.
마음이 훨훨 가볍습니다.
종소리 끝에서 학교에 다니는 나를 바라봅니다.
초등학교 1학년입니다.
선생님이 보입니다.
함께 노는 친구들이 있습니다.
좋아하는 놀이에 하루를 다 보내기도 합니다.
싫어서 피하는 일도 있습니다.
친절하게 다가온 친구에게 무관심하게 대하는 날도 있습니다.
어른들의 가르침을 무조건 마다하는 모습도 보입니다.
열 살 즈음의 모습입니다. 신나는 날입니다
좋아하는 색깔이 보입니다.
즐겁게 노래도 부릅니다.
싫은 일을 미루고 있습니다.

싫어하는 음식을 피하고 있습니다.

어린 시절의 기준과 감정을 마음에서 내려놓습니다.

어린 시절 내가 받았던 안타까움, 소외감, 혹은 칭찬, 즐거움, 그 모든 일들은 하나의 기억일 뿐입니다.

어른이 된 뒤에도 영향을 미치고 있는 어린 시절의 기억들을 가슴에서, 어깨에서, 머리에서 내려놓습니다.

좋은 기억은 좋은 기억대로,

아픈 기억은 아픈 기억대로 현재의 성숙을 이룹니다.

그저 지금이 있음에 감사합니다.

사춘기의 모습입니다.

고민하는 모습입니다.

스스로 마음을 어찌할 줄 몰라 갈팡질팡하는 사춘기 시절을 멀리서 바라봅니다.

고민은 어디서 왔는지, 그 뿌리를 살펴봅니다.

무엇 때문에 힘들어하는지 들여다봅니다.

우리는 서로를 잘 모릅니다.

그저 남도 내 마음과 같겠거니,

내가 느끼는 대로 느껴주겠거니,

내가 바라보는 것을 내 앞의 사람도 바라보겠거니 하고 기대합니다.

그러나 실제로 우리 각자는, 같은 것을 보아도 보는 각도가 틀리고, 같은 이야기를 들어도 기억하는 내용이 다릅니다.

서로의 다름을 몰라서 생긴

어린 시절의 괴로움을 바라봅니다.

10대 후반입니다.

10대 후반, 하고 싶은 일이 많습니다.

반드시 해야 할 일도 버겁습니다.

친구와 함께 얘기하며 즐거워합니다.

친구로 인해 마음이 아프기도 합니다.

10대의 끝에서 가장 많은 시간을 보낸 일을 바라봅니다.

가장 친한 친구도 찾아봅니다.

싫거나 무관심하고 싶은 친구도 기억해 봅니다.

마음의 힘은 자신은 물론이고,

온 세상을 이해하고 사랑할 수 있습니다.

이해되지 않던 나를 이해하고,

용서하지 못한 친구를 용서하고,

사랑할 수 없던 사람을 사랑하게 될 때

우리는 과거로부터 자유로워집니다.

자유의 시작은 문제를 발견하는 데 있습니다.

문제를 찾기만 해도 고정되어 있던 마음에 변화가 시작됩니다.

흐르는 강물처럼 마음도 편안해집니다.

심상화는 자신만의 장면을 만들어 상황에 따라 어울리는 장면을 선택하여 활용할 수 있습니다.

마음이 산만하고 생각해야 할 일이 많은 날은 창가에 편히 앉아 햇살에 비치는 작은 먼지가 천천히 내려앉는 장면을 상상합니다. 마음이 짧은 시간 안에 고요해집니다.

위로받고 싶은 날은 싱그러운 숲에서 숨을 쉬는 상상을 합니다. 숲속을 채우는 아침 안개가 온몸 구석구석까지 닿습니다. 우주와 연결되어 있는 숨결을 느끼면 혼자라는 외로움은 사라집니다.

_후기

슬픔을 건너는 아이

12월 첫날. 올겨울 처음으로 기온이 영하로 내려갔고 밤이 될수록 낮아진 기온이 영하 10도까지 내려갔다. 서울에는 첫눈이 온다는 소식도 들렸다.

오후에 [Mantovani & His Orchestra] All he Things You Are.flac]를 챙겨 수업을 갔다. 초등학교 3~6학년을 대상으로 하는 방과후 아카데미로 그림 명상과 논리를 융합한 수업이다.

1년 가까이 매주 100분을 아이들과 함께 했다. 수업을 이끄는 아이들은 그림을 좋아하는 아이, 발표를 좋아하는 아이, 낱말 맞추기에 승부욕을 보이는 아이들이다.

나는 매주 수업 준비 중 하나로 새로운 음악을 챙긴다. 1년 전 아이들은 음악을 들으며 그림을 그린다니 어쩔 줄 모르고 머뭇거렸다. 하지만 지금은 주저없이 그리고 싶은 내용을 담아 낸다. 그림은 생각이나 느낌을 간단하게 나타내기 위한 메모처럼 수업에서 활용한다.

그날 수업은 강한 선과 부드러운 선 중 하나를 선택해서 느낌을 표현하는 시간이었다. 아이들은 유성이 움직이는 모습, 1950년 버스와 전쟁, 폭풍 속 바다에서 흔들리는 배, 공장과 태양 아래 달팽이, 계단보다 높이 있는 천당과 지옥 등 스치듯 떠오르는 장면을 그렸다.

그 중에서 유독 마음을 흔든 그림이 있었다. 강한 선으로 단순한 묘사를 선택한 그림으로, 두꺼운 검정색 경계로 갈라진 엄마와 아빠가 슬퍼하는 모습이다.

무심한 듯 어떤 내용인지 물었더니, 아이는 담담하게 헤어진 두 사람은 만날 수 없고 둘 다 슬퍼한다고 대답했다.

그렇구나, 이별을 슬퍼하면서 만날 수는 없구나, 검정색으로 강하게 가로막고 있는 선이 잘 표현되었다며 옆자리로 갔다. 두세 아이 건너 있던 동생이 언니 이야기에 눈을 빛내고 귀를 바짝 기울이며 그림에 시선을 둔다.

일 년 동안 매주 수업을 진행하다 보면, 아이들 각자가 갖고 있는 밝음과 어두움에 익숙하게 된다. 함께 하는 시간이 길어지며 담담해진다. 그럴 수 있네, 그렇게도 느꼈겠네 하는 담담함이다. 강조하는 그림을 그리는 수업 역시 자연스럽게 감정을 표현하고 느끼는 그림 명상 시간이다.

"부모가 이혼했어요, 엄마 아빠와 함께 지낼 수 없어서 슬퍼요, 부모와 함께 지내기 위해 내가 할 수 있는 일은 없어요, 알아요, 엄마와 아빠 마음도 슬픈 거요, 이런 마음이 들면 울고 싶어요, 이 모든 사실을 이제 받아들여요."

그림을 보는 순간 내 마음을 흔드는 목소리가 들렸다. 아이는 의연하고 성숙한 표정이다.

"마음속을 스치는 장면일 뿐인걸요. 엄마, 아빠 두 사람도 나처럼 어쩔 수 없음을 느꼈어요."

이해하고 인정하는 표정이 아이에게 남는다.

슬픔을 건너고 있는 아이를 본다. 나는 슬픔을 건넜을까?

터널을 지나고 산을 여러 곳 지나 수업을 하러 온다. 건물이나 사람이 거의 없어 길옆 산과 밭에 눈길이 간다. 그 길은 현재에 살게 한다. 어떤 날 넓게 펼쳐진 논은 꼿꼿한 푸르름이 가득하다. 빛나는 푸르름이다. 어느 날은 노랗게 변하고 있는 산이 가슴 가득 들어온다. 여름내 짙은 녹색을 맘껏 내뿜던 산이 차가워진 기온에 노랗게, 더 노랗게, 군데군데 붉게, 셀 수 없이 다양한 색을 보여준다.

내 마음이 바로, 지금, 현재에 있을 때 눈앞 풍경은 살아있다. 빛이 난다. 창문을 내리면 바람이 반갑게 얼굴을 스치고 피부에 닿는다. 현재는 미래를 위한 과정이나 과거를 끌어오는 수단이 아닌 그 자체로 온전한 순간이다. 우리가 살아 있음을 느끼는 순간은 오로지 현재이며, 현재를 느낄 때 우주와 나는 하나의 숨결이다.

가끔 과거나 미래로 달려간 마음에 슬픔이 찾아오기도 하지만, 어쩔 줄 모르던 예전과 달리, 슬픔을 고요하게 바라보는 마음이 있다. 큰 숨을 쉬며 온전한 현재, 마음이 쉬는 자리로 돌아온다. 뺨을 스치는 바람이, 자연이, 우주가 나임을 느낄 때 고요한 연대감은 외로움과 슬픔을 품는다.

_용어 설명

점

'점'은 그림 그리는 기초 평면과 일단 부딪침으로써 생겨나는 결과로, 최고로 간결하며 가장 개별적으로 침묵과 언어를 연결한다. 점은 다른 기하학적인 형태나 자유자재로 임의의 형태를 취하려는 경향을 발전시킬 수 있다. 기하학에서 선은 무수히 많은 점들의 집합으로 점이 움직여 나간 흔적이며, 정적인 것에서 역동적인 것으로의 비약이다. 선은 삼각형을 이루는 경계의 성격을 갖는다.

 인간의 이지적인 사고 체계에 의해서 창조된 형태인 기하형태는 복잡한 자연으로부터 간결한 형태로 이루어 낸 추상의 형태로 표현된다.

-원지희 석사논문

기하형태의 화훼 작품연구, p.14~15

MBTI

MBTI 또는 마이어스-브릭스 유형 지표(Myers-Briggs Type Indicator)는 개인이 쉽게 응답할 수 있는 자기보고서 문항을 통해 인식하고 판단할 때 각자 선호하는 경향을 찾고, 이러한 선호 경향들이 인간의 행동에 어떠한 영향을 미치는가를 파악하여 실생활에 응용할 수 있도록 제작된 심리검사이다.

 MBTI 유형을 통해 자신의 유형을 16가지 중에서 찾을 수 있으며 상대적이다. 캐서린 쿡 브릭스(Katharine C. Briggs)와 그녀의 딸 이저벨 브릭스 마이어스(Isabel Briggs Myers)가 제작하였으며 카를 융의 성격유형 이론을 근거로 하였다. 이 검사는 내향성 또는 외향성, 감각 또는 직관, 사고

또는 느낌, 판단, 지각의 네 가지 범주를 지정한다.
-위키백과

기하학적 형태

기하학적 형태는 점, 선, 면 으로 이루어진 모든 도형의 기본 형태이며, 도식 적 조형요소로 단순하면서도 강렬하게 인식되기 때문에 시각적 전달력이 뛰어나다.
-구글

기하추상 - 기하학적 추상

차가운 추상이라고도 하며, 대상의 특징을 기하학적인 형태(점, 선, 면) 등으로 단순화하여 표현하는 추상주의의 한 부류이다.
-나무위키

추상능력

이 감각적 경험과 형상은 너무 많고 복잡하기 때문에 창조적인 사람들은 필수적인 생각도구로서 추상화를 활용한다, 피카소 같은 화가건 아인슈타인 같은 과학자건 헤밍웨이 같은 작가건 그들은 복잡한 사물들을 단순한 몇 가지 원칙들로 줄여 나갔는데, 추상화는 바로 이것이다.
-생각의 탄생 SPARK OF GENIUS., p.18

Robert Root Bernstein and Michele Root Bernstein
박종성 옮김, 에코의 서재 (2007)

_참고문헌

1. 생각의 탄생 - SPARK OF GENIUS
   Robert Root Bernstein and Michele Root Bernstein
   박종성 옮김, 에코의 서재
2. 그림과 심리진단
   김병천, 김성삼, 최영주 공저, 양서원 2014
3. 창의적 사고와 소통
   이연도, 최윤경, 한수영, 홍경남, 홍달오, 중앙대학교 출판부 2016
4. 창의력 잠재능력의 이론과 교육
   김영채, 도서출판 윤성사 2019년
5. 창의성의 즐거움
   미하이 칙센트미하이, 노혜숙 옮김, ㈜더난콘테츠그룹
6. 21세기를 위한 21가지 제언
   유발 하라리 Vval Noah Harari, 김병근 옮김, 김영사 2018
7. 열두 발자국
   정재승, 도서출판 어크로스 2018
8. 내 안의 창조성을 깨우는 몰입
   윤홍식, 봉황동래 2014
9. 한 권으로 끝내는 젠탱글 ONE ZENTANGLE A DAY 2012 Quarry Books
   베카 트라훌라 Beckha Krahula, 박성은 옮김, 아티젠 2016
10. 아트스트 웨이 Artist's Way
    줄리아 카메론 Julia Cameron, 임지호 옮김, 도서출판 경당 2003
11. 하늘과 바람과 별과 인간
    김상욱, ㈜바다출판사 2023

12. 고요함의 지혜
에크하르트 톨레, 김영사 2004
13. 지금 이순간을 살아라
에크하르트 톨레, 노혜숙 유영일 옮김, ㈜양문 2001
14. 이 순간의 나
에크하르트 톨레, 최린 옮김, 센시오 2019
15. 삶으로 다시 떠오르기
에크하르트 톨레, 류시화 옮김, 연금술사 2013
16. 현존 수업
마이클 브라운, 이재석 옮김, 정신세계사 2022
17. 내면 소통
김주환, 인플루엔셜 2023
18. 위대한 나의 발견. 강점혁명
갤럽 프레스, 청림출판 2002
19. 심리 유형의 역동과 발달
Katharine D. Mayers / Linda K. Kirby
김정택, 김명준 옮김, 한국심리검사연구소 1999
20. 조직의 변화와 유형
Nancy J. Barger / Linda K. Kirby
한국MBTI연구소 옮김, 한국심리검사연구소 2005
21. 성격유형과 리더쉽
Rogef Pearman, 김명준, 백연정 옮김, 한국심리검사연구소 2006